L'EUROPE AU MOYEN ÂGE

DU MÊME AUTEUR

Dans la même collection

L'économie rurale et la vie des campagnes dans l'Occident médiéval. (2 tomes.)

Saint Bernard. L'art cistercien.

GEORGES DUBY

L'EUROPE AU MOYEN ÂGE

ART ROMAN, ART GOTHIQUE

FLAMMARION

L'Europe au Moyen Âge a été publié pour la première fois en 1981 par Arts et métiers graphiques dans une édition illustrée.

Sommaire

Préface

Il y a vingt ans, Albert Skira, à la suggestion d'Yves Rivière, me proposait de travailler à la collection qu'il intitula, plus tard, « Art Idées Histoire ». Son but : situer les formes artistiques parmi ce qui les environne et préside à leur création, montrer, d'époque en époque, la signification de l'œuvre d'art, la fonction qu'elle remplit sous son apparente gratuité, les rapports qu'elle entretient avec les forces productives, avec une culture dont elle est une expression parmi d'autres, avec la société dont elle nourrit les rêves. Le projet me plut : à ce moment, je commençais justement de m'interroger sur ce qui relie les formations sociales aux formations culturelles, le matériel à ce qui ne l'est pas, le réel à l'imaginaire. J'écrivis donc un, deux, puis trois de ces livres, traitant du Moyen Âge occidental entre la fin du xe et le début du xve siècle. Ils parurent en 1966 et 1967. Déjà, dans ce premier ouvrage, le texte et l'image se trouvaient nécessairement accordés.

En 1974, Pierre Nora m'incite à reprendre, à rajeunir, à concentrer cet essai. Il devient « Le Temps des cathédrales ». Roger Stéphane juge qu'il y a dans ce livre matière à composer une série de films pour la télévision. Roland Darbois, Michel Albaric, lui-même et moi, nous entreprenons ensemble de traduire. C'est bien de cela qu'il s'agit, de la translation d'un langage à un autre, tout différent, de construire un nouveau discours. Lui imprimer son rythme. Placer où il convient les étapes, les temps forts, les passages. Bâtir l'armature sur quoi viendront se disposer les images. Car cette fois, les images sont souveraines. Roland Darbois part les recueillir. Il les assemble. Devant ce premier montage, je place un commentaire. En fonction du texte parlé, le texte visuel est une dernière fois remanié. Ici l'œuvre s'achève.

Je lui dois beaucoup. Les moyens employés lors des tournages révélaient d'abord ce que je n'avais pu voir : les détails, par exemple, du tympan de Conques, des nefs de cathédrales vidées de leur mobilier moderne, Cangrande dormant de son dernier sommeil sur les hauteurs du tombeau qu'il fit édifier à Vérone. Le profit toutefois vint principalement de ce qu'un autre regard s'était porté sur les œuvres d'art : en cours de route, d'autres choix s'étaient imposés, et les montages successifs, juxtaposant de manière inattendue des images, provoquaient des confrontations, suscitaient des réflexions nouvelles. Ceci rend compte de l'écart sensible entre le texte du livre dont nous sommes partis et celui-ci.

Je le présente sans retouche, tel qu'il fut élaboré dans le vif d'une première impression visuelle, tel qu'il fut dit.

Georges Duby.

Reykjavik
MER DU NORD
Tewkesbury
Ely
Gloucester
Oxford
Wells
Londres
Salisbury
Winchester
Canterbury
Bruges
Gand
Lille
Arras
Bruxelles
Namur
Englancourt
Amiens
Bayeux
Froidmont
Laon
Liège
Essen
Aix-la-Chapelle
Cologne
Ebstorf
Hildesheim
Weser
Elbe
Oder
Vistule

Fontevrault
Loches
Saint-Genou
Poitiers
Saint-Savin
Bourges
Vézelay
Fontenay
Dijon
Gevrey-Chambertin
Cîteaux
Bâle
Münich
Danube
Vienne
Aulnay-de-Saintonge
Civray
Nohant-Vicq
Autun
Echillais
Limoges
Paray-le-Monial
Tournus
Angoulême
Clermont-Ferrand
Cluny
Berzé-la-Ville
Reichenau
Saint-Bertrand-de-Comminges
Saint-Just-de-Valcabrère
Saint-Jacques-de-Compostelle
Oviedo
Souillac
Garonne
Moissac
Conques
Rhône
Milan
Pô
Vérone
Torcello
Padoue
Saint-Sever
Albi
Ebre
Douro
Toulouse
Villeneuve-lès-Avignon
Beaucaire
Sénanque
Avignon
Aigues-Mortes
Arles
Marseille
Le Thoronet
Bologne
Gracanica
Pampelune
Leyre
Jaca
Carcassonne
Montségur
Burgo de Osma
Tudela
Loarre
Durro
Tahull
Quéribus
Coca
Maderuelo
Saint-Martin-du-Canigou
Saint-Michel-de-Cuxa
Pise
Florence
San Gimignano
Ségovie
San Juan de las Abadesas
Saint-Génis-des-Fontaines
San Pedro de Roda
Sienne
Gubbio
Madrid
Lérida
Cardona
Gérone
Pérouse
Assise
Tage
Tarrasa
L'Estany
Orvieto
Tolède
Tarragone
Tortosa
Barcelone
Pedralbes
Castel Sant'Elia di Nepi
Tibre
Subiaco
Anagni
Guadiana
Jucar
Capoue
Barletta
Trani
Bitonto
Séville
Guadalquivir
Naples
Castel del Monte
Nerezi
Météores
MER MÉDITERRANÉE
Palerme
Monreale
San Cataldo
0 100 200 300 400 km

L'an mil

Imaginons. C'est ce que sont toujours obligés de faire les historiens. Leur rôle est de recueillir des vestiges, les traces laissées par les hommes du passé, d'établir, de critiquer scrupuleusement un témoignage. Mais ces traces, celles surtout qu'ont laissées les pauvres, le quotidien de la vie, sont légères, discontinues. Pour des temps très lointains comme ceux dont il est question ici, elles sont rarissimes. Sur elles, une armature peut être bâtie, mais très frêle. Entre ces quelques étais demeure béante l'incertitude. L'Europe de l'an mil, il nous faut donc l'imaginer.

Peu d'hommes d'abord, très peu. Dix fois, vingt fois moins qu'aujourd'hui peut-être. Des densités de peuplement qui sont celles actuellement du centre de l'Afrique. La sauvagerie domine, tenace. Elle s'épaissit à mesure que l'on s'éloigne des rives méditerranéennes, lorsque l'on franchit les Alpes, le Rhin, la mer du Nord. Elle finit par tout étouffer. Ici et là, par paquets, des clairières, des cabanes de paysans, des villages ceinturés de jardins, d'où vient le plus clair de la nourriture; des champs, mais dont le sol rend fort peu malgré les longs repos qu'on lui laisse; et très vite, démesurément étendue, l'aire de la chasse, de la cueillette, de la pâture divaguante. De loin en loin une ville. C'est le plus souvent le résidu d'une cité romaine ; des monuments antiques rapetassés dont on a fait des églises, des forteresses ; des prêtres et des guerriers ; la domesticité qui les sert, fabriquant les armes, la monnaie, les parures, le bon vin, tous les signes obligés et les outils de la puissance. De toutes parts, des pistes s'enchevêtrent. Le mouvement partout : des pèlerins et des colporteurs, des coureurs d'aventure, des travailleurs itinérants, des vagabonds. La mobilité d'un peuple aussi démuni est étonnante.

Il a faim. Chaque grain de blé semé n'en donne guère plus de trois, de quatre, lorsque l'année est vraiment bonne. Une misère. La hantise : passer l'hiver, tenir jusqu'au printemps, jusqu'au moment où l'on peut, courant les marais, les taillis, prendre sa nourriture dans la nature libre, tendre des pièges, lancer des filets, chercher les baies, les herbes, les racines. Tromper sa faim. En effet, ce monde paraît vide ; il est en vérité surpeuplé. Depuis trois siècles, depuis que se sont amorties les grandes vagues de pestilence qui, durant le très haut Moyen Âge, avaient ravagé le monde occidental, la population s'est mise à croître. La poussée a pris de la vigueur à mesure que se résorbait l'esclavage, le vrai, celui de l'Antiquité. Il reste encore quantité de non-libres, d'hommes et de femmes dont le corps appartient à quelqu'un, que l'on vend, que l'on donne, et qui doivent obéir à tout. Mais on ne les retient plus entassés dans des chiourmes. Leurs maîtres, et justement pour qu'ils se reproduisent, ont accepté de les voir s'établir sur une terre. Ils vivent en ménage chez eux. Ils prolifèrent. Pour nourrir leurs enfants ils devraient défricher, élargir les vieux terroirs, en créer de nouveaux au milieu des solitudes. La conquête a commencé. Mais elle est encore trop timide : l'outillage est dérisoire ; une sorte de respect subsiste devant la nature vierge, qui retient de l'attaquer trop violemment. L'inépuisable énergie de l'eau courante, l'inépuisable fécondité de la bonne terre, profonde, libre depuis des siècles, depuis le retrait de la colonisation agricole romaine, tout reste là offert. Le monde est à prendre.

Quel monde ? Les hommes de ce temps, les hommes de haute culture, qui réfléchissaient, qui lisaient dans les livres, se représentaient la terre plate. Un vaste disque surplombé par la coupole céleste, encerclé par l'océan. A la périphérie, la nuit. Des peuplades étranges, monstrueuses, des unipèdes, des hommes-loups. On racontait qu'ils surgissent de temps à autre, en hordes terrifiantes, avant-coureurs de l'Antéchrist. En effet, les Hongrois, les Sarrazins et les hommes du Nord, les Normands venaient de ravager la chrétienté. Ces invasions sont les dernières qu'ait connues l'Europe. Celle-ci n'en était pas tout à fait délivrée en l'an mil et la grande vague de peur soulevée par ces incursions n'était pas retombée. Devant les païens, on avait fui. Le christianisme, et les formes fragiles, précieuses, vénérées, où il s'était introduit pendant le Bas-Empire, la langue latine, la musique, la connaissance des nombres, l'art de bâtir en pierre demeuraient encore comme terrés, dans les cryptes. Les moines qui construisirent celle de Tournus avaient été chassés toujours plus loin par l'invasion normande, depuis l'océan, depuis Noirmoutier, et n'avaient trouvé la paix qu'en plein milieu des terres, en Bourgogne.

Dans ce monde plat, circulaire, cerné de frayeurs, Jérusalem constitue le centre. L'espérance et tous les regards se tournent vers le lieu où le Christ est mort, d'où le Christ est monté aux cieux. Mais en l'an mil, Jérusalem est captive, tenue par les infidèles. Une fracture a divisé en trois portions la part connue de l'espace terrestre : ici, l'Islam, le mal ; là, le demi-mal : Byzance, une chrétienté, mais de langue grecque, étrangère, suspecte, et qui dérive lentement vers le schisme ; enfin l'Occident. La chrétienté latine rêve d'un âge d'or, de l'empire, c'est-à-dire de la paix, de l'ordre et de l'abondance. Ce souvenir obsédant s'attache à deux hauts lieux : Rome — Rome cependant est en ce temps-là marginale, plus qu'à moitié grecque ; Aix-la-Chapelle, nouvelle Rome.

En effet, deux siècles auparavant, l'Empire romain d'Occident était ressuscité. Une renaissance. Les forces qui l'avaient suscitée ne venaient pas des provinces du Sud où l'empreinte latine restait le plus profondément marquée. Elles jaillissaient en pleine sauvagerie, d'une région très farouche, très vigoureuse, terre de mission, front de conquête : du pays des Francs de l'Est, à la jonction de la Gaule et de la Germanie. Ici était né, avait vécu, était enseveli le nouveau César, Charlemagne. Un monument capital en entretient la mémoire : la chapelle d'Aix. Insultée par les pillards, réparée, elle demeure comme le sceau indestructible de la rénovation initiale, comme une invite à poursuivre l'effort, à maintenir la continuité, à perpétuellement renouer, renaître. Ceux qui bâtirent cet édifice l'ont voulu impérial et romain. Ils ont pris deux modèles, l'un dans Rome même, le Panthéon, un temple érigé au temps d'Auguste et maintenant dédié à la Mère de Dieu, l'autre dans Jérusalem, le sanctuaire élevé au temps de Constantin sur l'emplacement de l'ascension du Christ. Jérusalem, Rome, Aix : ce lent déplacement d'est en ouest d'un pôle, du centre de la cité de Dieu sur la terre, aboutit ainsi à cette nouvelle église ronde. Les dispositions de son volume interne signifient la connection du visible et de l'invisible, le passage ascensionnel, libérateur, du charnel au spirituel, depuis le carré, signe de la terre, jusqu'au cercle, signe du ciel, par l'entremise d'un octogone. Un tel agencement convenait au lieu où venait prier l'empereur. Celui-ci avait pour mission d'être intermédiaire, intercesseur entre Dieu et son peuple, entre l'ordre immuable de l'univers céleste et le trouble, la misère, la peur de ce bas monde. La chapelle d'Aix a deux étages. Au plan inférieur se tient la cour, les gens qui servent le souverain par la prière, les armes ou le travail ; ce sont les représentants de la foule immense que le maître régit, chérit, qu'il se doit de conduire vers le bien, plus haut, vers sa personne. Lui-même prend place au plan supérieur. C'est là qu'il siège. Les hymnes de louanges que l'on chante dans les grandes cérémonies de la puissance le disent élevé, non pas, bien sûr, jusqu'au niveau du Seigneur Dieu, du moins jusqu'au niveau des archanges. Cette tribune s'ouvrait vers l'extérieur sur la grande halle où Charlemagne rendait la justice, tournée vers les choses de la terre. Mais, pour un dialogue, solitaire, entre le Créateur et l'homme, dont il a fait le guide de son peuple, le trône impérial regarde vers le sanctuaire, du côté de ces formes architecturales qui parlent à la fois de concentration et d'ascension.

Il existe toujours au seuil du XIe siècle un empereur d'Occident, héritier de Charlemagne, qui veut être comme celui-ci nouveau Constantin, nouveau David. Rome l'attire. Il souhaiterait y résider. L'indocilité de l'aristocratie romaine, les entrelacs subtils d'une culture trop raffinée et les miasmes dont cette ville insalubre est pleine l'en éloignent. L'autorité impériale reste donc ancrée dans la Germanie, la Lotharingie. Aix demeure sa racine. Otton III, l'empereur de l'an mil, a fait chercher le sépulcre de Charlemagne, briser le pavement de l'église, creuser jusqu'à ce qu'on le trouvât ; le sarcophage ouvert, il a pris la croix d'or qui pendait au cou du squelette et s'en est symboliquement paré. Puis, comme l'avaient fait ses ancêtres, comme le feront ses descendants, il a déposé le plus éclatant de son trésor dans la chapelle d'Aix. Des objets merveilleux s'y accumulent ainsi, apprêtés pour des liturgies où le profane et le sacré s'entremêlent. Les signes qui les revêtent expriment l'union entre l'empire et le divin. Ils montrent l'empereur prosterné aux pieds du Christ, minuscule, présent pourtant, seul avec son épouse, nouvel Adam, unique représentant de l'humanité tout entière ; ou bien, tenant en main, comme le Christ le tient dans le ciel, le globe, image de la puissance universelle. Dans la cathédrale de Bamberg est aujourd'hui conservé le manteau où l'empereur Henri II se drapait aux grandes fêtes. Les figures des constellations et des douze maisons du zodiaque y sont brodées. Cette chape représente le firmament, la part de l'univers la plus mystérieuse et la mieux ordonnée, qui se meut dans un ordre inéluctable, qui surplombe, qui n'a pas de limite. L'empereur se montre à ses fidèles éblouis, enveloppé dans les étoiles. Pour affirmer qu'il est le maître suprême du temps, du passé, du futur — qu'il est le maître du beau temps, donc des moissons abondantes, le vainqueur de la faim — qu'il est le garant de l'ordre, qu'il est victorieux de la peur. Admirons l'incommensurable distance entre ces parades du pouvoir où s'énonçaient par des formes fascinantes ces prétentions, et tout autour, à deux pas du palais, la forêt, des tribus sauvages d'éleveurs de porcs, une paysannerie pour qui le pain lui-même, et le pain le plus noir, demeurait un luxe. L'empire ? C'était un rêve.

Dans l'Europe de l'an mil, la réalité est ce que nous appelons la féodalité. C'est-à-dire des manières de commander adaptées aux conditions vraies, à l'état vrai, raboteux, mal dégrossi de la civilisation. Tout bouge en ce monde, ai-je dit, mais sans route, sans monnaie ou presque, qui pourrait faire exécuter ses ordres très loin du lieu où il se trouve en personne ? Le chef obéi est celui que l'on voit, que l'on entend, que l'on touche, avec qui l'on mange et l'on dort. L'invasion des païens reste menaçante, la crainte qu'elle inspire survit au progressif retrait du péril : le chef obéi est donc celui dont le bouclier est là, tout près, qui protège, veille sur un refuge où l'ensemble du peuple peut chercher abri, s'enfermer, le temps que passe la tourmente : la féodalité c'est par conséquent, en premier lieu, le château. Des forteresses, innombrables, partout disséminées. En terre, en bois, quelques-unes en pierre déjà, dans le Sud surtout. Rudimentaires : une tour carrée, une palissade, elles sont le symbole de la sécurité. Ce sont pourtant aussi des menaces. Dans chaque château niche un essaim de guerriers. Des hommes à cheval, des cavaliers, des chevaliers, les spécialistes de la guerre efficace. La féodalité affirme leur primauté sur tous les autres hommes. Les chevaliers — une vingtaine, une trentaine — qui, à tour de rôle, montent la garde dans la tour, en sortent, l'épée au poing, exigeant, pour prix de la protection qu'ils assurent, d'être entretenus, nourris par le plat pays désarmé. La chevalerie campe sur l'Europe des paysans, des bergers et des coureurs de bois. Elle vit du peuple, durement, sauvagement, le terrorisant : une armée d'occupation.

Face au manteau de Henri II, dont les constellations parlent de paix imaginaire, je place donc une autre broderie : la « toile de la conquête », comme on l'appelait en son temps, la « tapisserie » de Bayeux comme nous disons. Des femmes ont brodé dans l'Angleterre que les Normands venaient d'assujettir cette longue bande de tissu historié dont les images, vers 1080, une soixantaine d'années après la chape de Bamberg, contredisent le rêve impérial. Elle montre un roi, d'Angleterre, Édouard le Confesseur, assis sur un trône semblable à celui d'Aix, se croyant lui aussi médiateur et dans des postures qui sont celles encore de Charlemagne. En vérité, toute force s'est retirée du roi qu'environnent les évêques. Elle appartient au duc des Normands, Guillaume le Conquérant, prince féodal. Autour de lui des hommes de guerre. Ses hommes — ceux qui lui ont fait hommage. Ils se sont liés, non par l'écrit, à la romaine, mais par le geste, par la parole, par les rites de bouche et de main, magiques. Ces guerriers devant qui tremblent les paysans et les prêtres sont venus s'agenouiller un jour aux pieds du maître des plus forts châteaux du pays, tête nue. Ils ont placé leurs mains nues entre les siennes. Il a refermé ses mains sur les leurs. Il les a relevés, les rétablissant ainsi dans l'égalité, dans l'honneur, les adoptant comme ses enfants supplémentaires, il les a baisés sur la bouche. Puis ces chevaliers ont juré, la main sur les reliquaires, de le servir, de l'aider, de ne jamais porter atteinte à sa vie, à son corps, devenant ainsi ses vassaux (le mot veut dire petit gars), ses garçons, astreints à se conduire comme de bons fils envers ce patron qu'ils appellent le seigneur (c'est-à-dire le vieux, l'ancien, l'aîné), lequel est, lui, tenu de les nourrir, de les réjouir, s'il le peut de les bien marier. Et d'abord de les munir d'armes.

Le fort du progrès technique dont les premiers mouvements se discernent s'est porté vers le perfectionnement du harnois militaire, vers la métallurgie de l'armement. Le fer manque encore pour les charrues. Les forgerons en font des casques et des chemises de mailles qui rendent le combattant invulnérable. Les outils que ce temps mit le plus de soin à façonner, ceux dont le poids symbolique était le plus lourd, sont les épées. Insigne d'un « métier », d'un office réputé noble, instrument de la répression, de l'exploitation du peuple, le glaive, plus que le cheval, distingue le chevalier des autres. Il proclame sa supériorité sociale. On croit les épées des princes fabriquées dans un passé légendaire, bien avant l'évangélisation, par des artisans demi-dieux. Elles sont bardées de talismans. Elles ont leur nom. L'épée de l'an mil est comme une personne.

A l'heure de mourir, on le sait, le premier souci de Roland fut pour Durandal.

Le chevalier réjouit son corps. La fonction qu'il remplit l'autorise à passer son temps dans des plaisirs qui sont aussi façon de se fortifier, de s'entraîner. La chasse — et les forêts pour cela, les aires réservées à ce jeu d'aristocrates, se ferment aux défricheurs. Le banquet : se goinfrer de venaisons tandis que le commun peuple meurt de faim, boire, et du meilleur vin, chanter, faire la fête, entre camarades, pour que se resserre, autour de chaque seigneur, le groupe de ses vassaux, bande querelleuse qu'il faut sans cesse tenir en joie. Et d'abord dans la joie première, celle de combattre. Charger sur un bon cheval avec ses frères, ses cousins, ses amis. Hurler des heures durant dans la poussière et la sueur, déployer toutes les vertus de ses bras. S'identifier aux héros des épopées, aux aïeux dont il faut égaler les prouesses. Surmonter l'adversaire, le capturer, pour le mettre à rançon. Dans l'emportement, se laisser parfois aller jusqu'à le tuer. Ivresse du carnage. Le goût du sang. Détruire, et le soir, le champ jonché : voilà la modernité du XIe siècle.

A l'aube d'une croissance qui ne cessera plus, l'essor qui s'inaugure de la civilisation occidentale est révélé d'abord par cette véhémence militaire, et les premières victoires que remportent sur la nature indocile des paysans, courbés sous les exigences seigneuriales, contraints de se risquer enfin parmi les brousses et les marais, de drainer, de créer de nouveaux terroirs, aboutissent d'abord à dresser sur le devant de la scène, écrasant tout, la figure du chevalier. Large, épais, lourd, le corps seul comptant, avec le cœur — non pas l'esprit : apprendre à lire lui gâterait l'âme. Situant dans la guerre, ou dans le tournoi qui la remplace et la prépare, l'acte central, celui qui fait la saveur de la vie. Un jeu, où l'on risque tout, son existence et, ce qui peut-être est plus précieux, son honneur. Un jeu où les meilleurs gagnent. Ils en reviennent, riches, chargés de butin, et dès lors généreux, répandant autour d'eux sans souci le plaisir. Le XIe siècle européen est dominé par ce système de valeurs, tout entier fondé sur le goût de ravir et de donner, et sur l'assaut.

L'assaut, la rapine, la guerre — et pourtant, quelques lieux épargnés. La féodalité a dissocié totalement l'autorité du souverain dans l'Italie, dans la Provence et la Bourgogne. Elle la ronge dans la plus grande partie du royaume de France, de l'Angleterre. En l'an mil, elle n'a pas encore mordu sur les provinces germaniques. Celles-ci demeurent carolingiennes, c'est-à-dire impériales. En Germanie, ce n'est pas encore le féodal, c'est l'empereur, toujours, qui assume la mission de paix, qui éloigne la turbulence des évêchés et des monastères où, de temps à autre, il vient rendre hommage au Christ, son seul Seigneur.

Dans cette part moins évoluée de la chrétienté latine se prolonge ainsi l'entreprise de renaissance. L'effort reste tendu qui maintient en état, qui vivifie ce que la Rome antique a laissé d'elle-même. Cet héritage s'enrichit alors de ce qui, par Venise ou par le travers des étendues slaves, parvient tout frais de Byzance. Les empereurs de ce temps ont pour épouse, pour mère, des princesses byzantines. Par des liens moins distendus avec les chrétientés orientales, beaucoup plus civilisées, c'est alors comme un second printemps, une floraison éclatante, à Reichenau, à Echternach, à Liège, à Bamberg, à Hildesheim.

Ces lieux ne sont pas des capitales. L'empire n'en a pas. Pour remplir sa mission d'ordonnateur, pour montrer de toutes parts l'image de la paix, le roi d'Allemagne doit chevaucher sans cesse, toujours en route, d'un palais à l'autre. De loin en loin, aux grandes fêtes de la chrétienté qui sont aussi les fêtes de sa puissance, il vient pourtant s'asseoir un moment, revêtu de tous ses ornements, au milieu des évêques et des abbés, dans les sanctuaires. Là, auprès des cathédrales sur quoi prend appui son pouvoir à demi divin, dans les grands monastères où l'on prie pour son âme et celle de ses pères, se trouvent fixés les écoles, les ateliers d'art. Là se rassemblent des hommes dont la vision du monde diffère totalement de celle des chevaliers de France, d'Angleterre ou d'Espagne. Parfaitement conscients de la barbarie qui envahit autour d'eux les mœurs. Résistant de toutes leurs forces à la dégradation d'une culture qu'ils vénèrent. Prenant pour modèle ce qu'ont légué les temps anciens où, pour eux, gît toute perfection. Comme Charlemagne lui-même, dont on rapporte qu'il se levait la nuit, studieux, pour apprendre à lire le latin, les peintres, les sculpteurs, ceux qui gravent l'ivoire, ceux qui fondent le bronze, ceux qui travaillent sur les commandes impériales les matériaux très nobles, les seuls dignes de célébrer la gloire de leur maître, c'est-à-dire la gloire de Dieu, tous ont des attitudes d'élèves, attentifs, appliqués, s'évertuant à s'approcher au plus près des classiques. Par leurs soins respectueux, amoureux, survivent au cœur de la plus épaisse rusticité les formes qui font écho aux vers de l'« Énéide », un art refusant les abstractions de la bijouterie barbare, s'interdisant de déformer l'apparence des choses, l'apparence corporelle de l'homme, une esthétique de la figuration, du volume équilibré, de l'harmonie, une esthétique d'architecte et de sculpteur. Classique.

Ce fut avant tout par le livre que la tradition du classicisme se maintint. Pour les hommes dont je parle, les dirigeants des églises impériales, le livre était sans doute le plus précieux des objets. Ne renfermait-il pas la parole, les mots, ceux bien sûr des grands écrivains de la Rome antique, et surtout les mots de Dieu, le verbe, par quoi le Tout-Puissant établit sa puissance en ce monde ? Il leur appartenait d'orner ce réceptacle plus somptueusement que les murs du sanctuaire ou que l'autel et ses vases sacrés, tout en veillant à ce que l'image et l'écriture se tiennent dans la plus étroite consonance. Dans les armoires où l'on conservait les livres liturgiques subsistaient quantité de bibles, de lectionnaires que l'on avait illustrés au temps de Louis le Pieux ou de Charles le Chauve. Leurs pages étaient ornées de peintures qui presque toutes imitaient des exemples romains. La vigueur plastique des figures d'évangélistes, les simulacres d'architecture érigés autour d'elles, le décor des initiales répondaient aux leçons d'humanisme que distribuaient les écrits toujours relus de Sénèque, de Boèce ou d'Ovide. On copia ces livres, en l'an mil, dans les églises où l'empereur venait prier. On voulut faire mieux, plus magnifique encore. Les tissus, les ivoires, les livres importés de Byzance, où les lettres s'inscrivaient en or sur fond pourpre, invitaient à plus de fidélité dans la représentation de la figure humaine, à plus de luxe dans le déploiement des parures. Sur le parchemin des « Péricopes », confectionnés vers 1020 pour l'empereur Henri II, l'or, cet or que les princes féodaux gaspillaient alors dans les tournois et les ripailles, l'or est tendu en toile de fond d'une représentation sacrée. Sur les miroitements de cet arrière-plan qui les transporte dans l'irréel, les épisodes successifs d'un spectacle se déroulent, les personnages du drame défilent, le Christ, ses disciples. Des personnes. Étonnamment vivantes. Et que l'on voit reparaître dans l'or, revêtues par le relief de plus de présence encore, sur les parois des autels, dans la chapelle d'Aix, dans la cathédrale de Bâle. Des livres, des devants d'autel, des croix. Dans l'art dont l'empereur de l'an mil est l'inspirateur, la croix n'est pas montrée comme l'instrument d'un supplice. C'est l'emblème d'un triomphe, d'une victoire remportée sur les puissances de subversion dans l'univers entier, du nord au sud, de l'est à l'ouest, sur les deux axes dont la croix figure le nécessaire emboîtement. Sur elle est plaquée l'image d'un Christ couronné, toujours vivant, dont l'empereur, lieutenant du ciel, archange, est en ce monde le délégué. La croix est le signe de cette investiture. De même que l'épée sert d'emblème à la chevalerie et à toutes les puissances d'agression dont elle est porteuse, de même, la croix, parlant d'ordre, de lumière et de résurrection, rend sensible ce qui constitue l'essence du pouvoir impérial. Vers ces croix, enrichies des plus superbes bijoux hérités de la gloire romaine, vers ces croix brandies comme des étendards pour refouler le mal, c'est-à-dire le tumulte et la mort, toute l'entreprise de rénovation convergeait.

De cette entreprise, l'un des meilleurs artisans

fut Bernward, évêque de Hildesheim. Un évêque. Sacré comme l'étaient les souverains. Imprégné par les rites du sacre d'une sagesse venue du ciel, désigné pour la répandre ici-bas, pour éclairer. Éducateur par conséquent ; il fut le précepteur des enfants impériaux. Bernward près de son siège épiscopal fit élever une réplique de la colonne Trajane qu'il avait vue dans Rome. Historiée elle aussi, enveloppée d'une longue bande dessinée semblable à la tapisserie de Bayeux, mais non pas brodée comme celle-ci, coulée, à l'antique, dans le bronze. Bernward fit aussi fondre dans le bronze à Hildesheim les deux vantaux d'une porte pour une église dédiée à saint Michel, cet autre archange. Ouvrant sur l'intérieur du sanctuaire, c'est-à-dire sur la vérité. Sur chacun des battants, des anneaux, à quoi les criminels fugitifs venaient se cramponner, s'accrochant au sacré dans l'espoir de devenir intouchables comme les suppliants de l'Antiquité classique — et les maîtres du pouvoir, que leur passion détournait de la voie droite, leur coupaient parfois les mains à l'épée pour les saisir. Sacrilège.

Bernward imitait lui aussi. Il suivait l'exemple de Charlemagne et des grands dignitaires de l'Église carolingienne. Jusqu'à lui cependant, les bronzes des portails n'avaient pas porté d'images. Ceux d'Hildesheim en sont peuplés autant que les pages d'évangéliaires. Placées à la vue du peuple, face au monde corrompu, sombrant dans la barbarie, ces portes avaient fonction d'enseigner le bon, le vrai, le sage. Elles développaient une exhortation fondée sur la juxtaposition de seize scènes. Il faut s'arrêter à leur disposition, car elle révèle la vision du monde des hommes dont la culture était en ce temps la plus haute, leur manière de penser, d'énoncer un message qu'ils se jugeaient tenus de lancer de toutes parts vers une société dont les premières phases du développement modifiaient à ce moment les structures, qui se féodalisaient, qui glissaient insensiblement sous la domination des guerriers, c'est-à-dire de la violence. Deux vantaux : celui de gauche, celui de droite. Le mal, le bien. Le désespoir, l'espoir. L'histoire d'Adam, l'histoire de Jésus — et deux mouvements inverses. Le discours doit se lire de haut en bas sur la partie gauche qui parle de dégradation, de décadence, de chute. Il se lit de bas en haut sur la partie droite, la bonne, puisqu'il proclame ici le relèvement possible, puisqu'il appelle à la résurgence, puisqu'il signale le chemin ascendant, qu'il faut suivre. Très habilement, la rhétorique visuelle tire également profit des analogies entre chacun des épisodes de ces deux récits juxtaposés. Elle insiste sur les concordances qui, deux par deux, relient les scènes de droite à celles de gauche. Elle propose une lecture horizontale pour désigner plus clairement où est le bien, où est le mal. Conduisant le regard, depuis Adam et Ève exclus, chassés du paradis, condamnés à la mort, vers Jésus présenté au temple, reçu, admis, depuis l'arbre de mort vers la croix, arbre de vie, depuis le péché originel vers la crucifixion qui l'efface, depuis la création de la femme vers cette sorte de gestation dont le tombeau de la résurrection fut le lieu. C'est ainsi qu'enseigne Bernward. Non pas par des mots, par des signes abstraits. Par une mise en scène, annonçant celle des grands mystères que trois siècles plus tard des acteurs vivants viendront représenter dans les cathédrales. Déjà l'on voit ici des hommes et des femmes agir. Présence de l'homme. C'est bien de l'homme, du sort de chaque homme, qu'il est question. De l'homme déchu, tiré vers le bas, vers la terre par la pesanteur de la faute, humilié jusqu'à cette condition méprisable où la féodalité rabaisse les paysans soumis, avili, contraint à travailler de ses mains, poussé enfin, dernière étape, jusqu'au meurtre, à cette violence, jusqu'à cet acharnement à détruire dont font preuve, en ce temps, les chevaliers qui, on le sait bien, versent chaque jour le sang des justes. Tandis que sur l'autre battant, la vie d'une femme, la vie d'un homme, Marie, nouvelle Ève, Jésus, nouvel Adam, affirment que le genre humain doit être finalement sauvé.

Défaillance, rédemption. Une histoire immobile, immédiate, actuelle. Au seuil du XIe siècle, l'humanité se relève de sa dégradation. Elle s'est mise en route, sous la direction de l'empereur. L'œuvre d'art est là pour orienter sa marche. Indicative, et reprenant pour cela le langage le plus net, celui de la Rome antique. Le message, pourtant, est lancé très loin de Rome. Aux limites extrêmes de l'ère civilisée. Très près des sanctuaires et des sacrifices humains du paganisme scandinave. Aux premières lignes du combat que le peuple de Dieu doit mener contre les ténèbres.

Un ermite au début du XIIe siècle.

« Les vastes solitudes qui se trouvent aux confins du Maine et de la Bretagne fleurissaient alors, telles une seconde Égypte, d'une multitude d'anachorètes, vivant dans des cellules séparées, saints personnages, fameux pour l'excellence de leur règle de vie. [...]

[Parmi eux, un nommé Pierre.]

« Pierre ne savait ni cultiver les champs, ni jardiner ; c'étaient les jeunes pousses des arbres qui, avec l'appoint de son travail de tourneur, lui procuraient les plats quotidiens de sa table. Sa maison, rien moins que grande, il se l'était également fabriquée avec des écorces d'arbre dans les ruines d'une église consacrée à saint Médard dont les tempêtes avaient abattu la meilleure partie. [...] »

« *Vie de saint Bernard de Tiron* »,
par Geofroy le Gros.

Le commerce en Lombardie au Xe siècle.

« A leur entrée dans le royaume les marchands payaient aux points de passage, sur les routes appartenant au roi, la dîme de toute marchandise ; voici la liste de ces passages : le premier est Suse; le second Bard; le troisième Bellinzona; le quatrième Chiavenna; le cinquième Bolzano [ou Boleiano]; le sixième Volargne [ou plutôt Valarnio]; le septième Trevale; le huitième Zuglio, sur la route de Monte Croce; le neuvième près d'Aquilée; le dixième à Cividale du Frioul. Toute personne arrivant en Lombardie d'au-delà des montagnes doit payer la dîme sur les chevaux, les esclaves masculins et féminins, les draps de laine et de lin, les toiles de chanvre, l'étain, les épées; et là, à la porte, chacun, de toute marchandise, doit payer la dîme à l'agent du trésorier. [...]

« En ce qui concerne Anglais et Saxons, des gens de cette nation avaient coutume de venir avec leurs marchandises et denrées. Mais quand ils voyaient, à la douane, vider leurs ballots et leurs sacoches, ils s'emportaient; des altercations naissaient avec les agents du trésor; on s'injuriait, on se frappait à coups de couteau, et des deux côtés il y avait des blessés. »

« *Honoranciae Civitatis Papiae*. »

La cérémonie de l'adoubement au XIIe siècle.

« Ayant en main Durendal la tranchante
Le roi la tira du fourreau, en essuya la lame
Puis il la ceignit à son neveu Roland
Et voici que le pape l'a bénite.
Le roi lui dit doucement en riant :
« Je te la ceins avec le désir
« Que Dieu te donne vaillance et hardiesse,
« Force, vigueur, et grande bravoure
« Et grande victoire sur les mécréants. »
Et Roland dit, le cœur en fête :
« Dieu me l'accorde par son digne commandement. »

Comme le roi lui a ceint la lame d'acier,
Le duc Naimes va s'agenouiller
Et chausser à Roland son éperon droit.
Pour la gauche, c'est le bon Danois Ogier. »

« *La Chanson d'Aspremont.* »

Révolte des serfs de Viry contre les chanoines de Notre-Dame de Paris, 1067.

« L'an de l'Incarnation du Seigneur 1067, sous le règne de Philippe roi des Francs, du vivant de Godefroid, évêque de Paris, du vivant d'Eudes, doyen, et de Raoul, prévôt, du vivant également de Herbert, comte de Vermandois, de Vuacelin, avoué de Viry, les serfs de Viry, se révoltant contre le prévôt et les chanoines de Sainte-Marie, affirmèrent ne pas devoir ce dont leurs ancêtres se sont manifestement acquittés, à savoir la garde de nuit, et pouvoir en outre, sans l'autorisation du prévôt et des chanoines, épouser les femmes qu'ils voulaient. Leur opposition nous conduisit à participer à un plaid, où ils démontreraient qu'ils n'avaient pas à attendre l'autorisation des prévôts et des chanoines. Mais comme ils pensaient, par leurs raisonnements, réduire cette coutume à néant, par les mérites de Marie, la très sainte Mère de Dieu, leur langue s'embrouilla si bien que ce qu'ils avançaient, pensant faire progresser leurs affaires, se retourna pour les accabler et donner pleine satisfaction aux nôtres. Ainsi confondus, sur un jugement des échevins rendu conformément à la loi, ils nous restituèrent le droit de garde en remettant au doyen Eudes le gant gauche. Par le droit ils abandonnèrent la revendication sur les femmes étrangères : désormais ils ne les épouseraient pas sans l'autorisation du prévôt et des chanoines. »

« *Cartulaire de l'église Notre-Dame.* »

Vie de Norbert, archevêque de Magdebourg, vers 1160.

« En arrivant à la ville fortifiée de Huy, située sur la Meuse, il distribua aux indigents l'argent qu'il venait de recevoir et, ayant ainsi déposé le fardeau des biens temporels, vêtu seulement d'une tunique de laine et enveloppé d'un manteau, pieds nus par un froid épouvantable, il partit vers Saint-Gilles avec deux compagnons. Là il trouva le pape Gélase qui avait succédé au pape Pascal après la mort de celui-ci et... reçut de lui le libre pouvoir de prêcher, pouvoir que le pape confirma par la sanction officielle d'une lettre... [*Norbert repart, il passe par Valenciennes, s'y associe à un clerc nommé Hugues.*] Norbert et son compagnon parcouraient les châteaux, les villages, les lieux fortifiés, prêchant et réconciliant les ennemis, pacifiant les haines et les guerres les plus enracinées. Il ne demandait rien à personne mais tout ce qu'on lui offrait, il le donnait aux pauvres et aux lépreux. Il était absolument certain d'obtenir de la grâce de Dieu ce qui était indispensable à son existence. Comme il estimait être sur terre un simple pèlerin, un voyageur, il ne pouvait être tenté par aucune ambition, lui dont toute l'espérance était attachée au ciel. [Hors du Christ tout lui semblait vil.] L'admiration et l'affection générales grandirent si fort autour de lui que, où qu'il se dirigeât, faisant ainsi chemin avec son seul compagnon, les bergers abandonnaient leurs troupeaux et couraient en avant pour annoncer son arrivée au peuple. Les populations se rassemblaient alors autour de lui en foule et, à l'écouter pendant la messe les exhorter à la pénitence et à l'espérance dans le salut éternel — salut promis à quiconque aura invoqué le nom du Seigneur —, tous se réjouissaient de sa présence, et quiconque avait eu l'honneur de l'héberger s'estimait heureux. On s'émerveillait de ce genre de vie si nouveau qui était le sien : vivre sur la terre, et ne rien rechercher de la terre. En effet, selon les préceptes de l'Évangile, il ne portait ni chaussures ni tunique de rechange, se contentant de quelques livres et de ses vêtements sacerdotaux. Il ne buvait que de l'eau, à moins qu'il ne fût invité par de pieuses personnes : il se conformait alors à leur manière de faire... »

« *Vie de saint Norbert, archevêque de Magdebourg.* »

La Suède au xie siècle.

« Ceux qui traversent les îles danoises voient s'ouvrir (devant eux) un autre univers, en Suède et en Norvège, deux immenses royaumes du Nord que notre monde a jusqu'à présent à peu près ignorés. A leur sujet, j'ai eu des informations du très savant roi des Danois : la Norvège, il faut un bon mois pour la traverser; quant à la Suède, deux mois suffisent difficilement à la parcourir. « Et cela, j'en ai fait moi-même l'expérience, me dit-il, moi qui, il n'y a pas très longtemps, sous le roi Jacob, ai servi douze ans dans ces pays, tous deux enclos de montagnes très élevées, et principalement la Norvège qui entoure la Suède de ses alpes. » La Suède n'est pas complètement passée sous silence par les auteurs antiques Solin et Orose. [...] C'est un pays très fertile, au sol riche en récoltes et en miel, qui, de plus, par la fécondité de ses troupeaux, surpasse tous les autres; fleuves et forêts sont particulièrement bien situés : partout le pays regorge de marchandises étrangères. Aussi les Suédois, pourrait-on dire, ne sont privés d'absolument rien, sinon de ce que nous chérissons, ou mieux, nous adorons : l'orgueil. Car de tous ces instruments d'une vaine gloire, c'est-à-dire or, argent, coursiers royaux, peaux de castor ou de martre dont l'attrait nous rend déments, eux, ils n'en font aucun cas.

« Maintenant nous allons dire deux mots des superstitions suédoises. Le plus noble temple que possède ce peuple et qui s'appelle Ubsola est situé non loin de la ville de Sictona. Dans ce temple, entièrement paré d'or, les statues de trois dieux sont l'objet de la vénération populaire ; le plus puissant, Thor, au milieu du triclinium possède un trône ; de part et d'autre se trouvent les places tenues par Wodan et Fricco. Ces dieux ont la signification suivante : « Thor, m'a-t-on dit, qui siège dans les airs, commande tonnerre et foudre, vent et pluie, beau temps et récoltes. Le second, Wodan c'est-à-dire fureur, mène les guerres et procure aux hommes le courage contre les ennemis. Le troisième, c'est Fricco, distribuant aux hommes paix et volupté. [...] Ils honorent aussi des dieux créés à partir d'hommes qui, pour leurs hauts faits, se voient attribuer l'immortalité : ainsi ont-ils fait, lit-on dans la vie de saint Anschaire, du roi Erik. »

Adam de Brême,
« *Gesta Hammaburgensis ecclesiae pontificum.* »

Les Hongrois, vus par le Saxon Widukind (925 ? — 1004 ?), moine de Corvey (Westphalie).

« XVIII. Les Avars cependant, à ce que certains pensent, étaient les débris subsistant des Huns. Les Huns sont issus des Goths ; les Goths, eux, sont sortis d'une île qui s'appelle, à ce que raconte Jordanès, Sulza. Les Goths tiennent leur nom de leur duc nommé « Gotha ». Comme certaines femmes dans son armée avaient été accusées devant lui de pratiques magiques, elles furent examinées et trouvées coupables. Comme elles formaient une multitude, il s'abstint de les châtier comme elles le méritaient mais les chassa cependant toutes de l'armée. Ainsi chassées elles gagnèrent un bois proche. Comme il était entouré par la mer et les marais Méotiques, aucune issue ne s'offrait pour en sortir. Cependant certaines d'entre elles étaient enceintes et accouchèrent là. D'autres et d'autres naquirent d'elles; une race puissante se forma : vivant comme des bêtes sauvages, incultes et insoumis, ces gens devinrent des chasseurs particulièrement infatigables. Après de nombreux siècles, comme, à force de demeurer en ce lieu, ils ignoraient absolument l'autre partie du monde, il arriva qu'ils trouvèrent une biche à la chasse et qu'ils la poursuivirent assez loin pour franchir à sa suite les marais Méotiques, par un chemin jusque-là impraticable pour tous les mortels des temps passés; là ils virent des villes, des forteresses et une race d'hommes inconnue auparavant : ils revinrent par le même chemin et racontèrent ces faits à leurs compagnons. Ceux-ci, par curiosité, se déplacèrent en foule pour avoir la preuve de ce qu'ils avaient entendu. Alors les gens des villes et des forteresses limitrophes, lorsqu'ils apercevaient cette foule inconnue et ces corps rendus repoussants par leur vêtement et leur allure générale, se mettaient à fuir, croyant que c'étaient des démons. Eux, en revanche, étonnés et admiratifs devant ces nouveaux spectacles, s'abstinrent tout d'abord de tuer et de piller; mais personne ne résiste à l'envie humaine de toucher; après avoir massacré les hommes en grand nombre ils s'en prirent aux objets et n'épargnèrent rien. Ayant fait un immense butin, ils revinrent dans leur territoire. Cependant voyant que les choses prenaient pour eux une autre tournure, ils vinrent une seconde fois avec femmes, enfants et tout leur bagage barbare, dévastèrent les peuples voisins partout à la ronde; pour finir ils se mirent à s'installer en Pannonie.

XVIIII. Vaincus cependant par Charlemagne, poussés au-delà du Danube et enfermés dans un immense retranchement, ils échappèrent à l'habituelle disparition des peuples. »

« *Widukindi Monachi Corbeinsis rerum saxonicarum libri tres.* »

A Laon, au xiie siècle.

« A titre d'exemple citons un cas, lequel, s'il avait lieu chez les Barbares ou les Scythes, serait certainement jugé par ces gens, qui n'ont aucune loi, parfaitement impies. Comme le samedi, de divers coins de la campagne, le peuple des champs se rendait en cet endroit pour y commercer, les bourgeois circulaient sur le marché portant dans un vase à boire, une écuelle, ou tout autre récipient, des légumes secs ou du blé ou toute autre espèce de fruit, comme pour les vendre et quand ils avaient proposé l'achat à un paysan en quête de tels produits, celui-ci promettait qu'il achèterait au prix fixé. « Suis-moi, disait le vendeur, jusque dans ma maison, afin que là, tu puisses voir le reste de ce fruit que je te vends et qu'après l'avoir vu tu le prennes. L'autre suivait, mais lorsqu'ils étaient parvenus devant le coffre, le fidèle vendeur ayant soulevé et soutenant le couvercle du coffre : « Baisse la tête et les bras dans le coffre, disait-il, afin de voir que tout cela ne diffère en rien de l'échantillon que je t'ai proposé sur le marché. » Comme l'acheteur en se penchant par-dessus la saillie du coffre était suspendu par le ventre, la tête et les épaules plongeant ensemble dans le coffre, le bon vendeur qui se tenait derrière son dos, après avoir soulevé les pieds de l'homme sans méfiance, le poussait soudain dans le coffre et rabattait sur sa tête le couvercle ; il le conservait à l'abri dans cet ergastule jusqu'à ce qu'il se rachète.

« Cela avait lieu dans la ville, ainsi que bien d'autres choses semblables. Les vols, disons mieux les brigandages, étaient pratiqués en public par les notables et les sous ordres des notables. Aucune sécurité n'existait pour celui qui se hasardait dehors la nuit et il ne lui restait qu'à se laisser ou dépouiller, ou prendre, ou tuer. »

Guibert de Nogent,
« Histoire de sa vie, 1053-1124. »

Une disette en Flandre en 1125.

« A cette époque, personne ne pouvait s'alimenter normalement en nourriture et en boisson ; contrairement à l'accoutumée on consommait en une seule fois, pour un repas, tout le pain que, avant l'époque de cette famine, on avait coutume de consommer en plusieurs jours. On était ainsi gorgé sans mesure, la charge excessive de la nourriture et de la boisson distendait les orifices naturels des organes, et les forces naturelles déclinaient. Les aliments crus et indigestes épuisaient les individus, que la faim ne cessait de travailler, jusqu'à ce qu'ils rendent leur dernier souffle. Beaucoup aussi qu'aliments et boissons écœuraient, bien qu'ils en eussent en abondance, étaient tout gonflés.

« A l'époque de cette famine, en plein Carême, on vit des gens de chez nous, dans la région de Gand et des fleuves de la Lys et de l'Escaut, le pain leur faisant absolument défaut, manger de la viande. Certains, qui faisaient route vers les villes et les châteaux pour s'y procurer du pain, n'étaient pas arrivés à mi-route, que, oppressés de faim, ils moururent en chemin ; près des domaines et des manoirs des riches, près des châteaux et des lieux fortifiés, de pauvres gens, venus quérir l'aumône au terme d'un voyage pénible, moururent en mendiant. Fait incroyable à dire : personne dans notre contrée n'avait gardé son teint normal ; tous étaient de cette pâleur si particulière propre aux morts. La même faiblesse saisissait malades et bien-portants; la vue de la souffrance des mourants en effet rendait malades ceux dont l'organisme restait sain. »

Galbert de Bruges,
« *Histoire du meurtre de Charles le Bon.* »

La famine de 1033.

« A l'époque suivante la famine commença à se développer sur toute la surface de la terre, et on en vint à craindre la disparition du genre humain presque tout entier. Les conditions atmosphériques en effet allaient à ce point contre le cours normal des saisons que le temps n'était jamais propice aux semailles et que, surtout à cause des inondations, il n'était jamais favorable aux moissons. On croyait voir les éléments vider entre eux leur querelle, mais il était hors de doute qu'il s'agissait pour eux de punir l'orgueil de l'humanité. Des pluies incessantes avaient en effet si complètement imbibé le sol qu'en l'espace de trois ans pas un sillon ne s'offrit qu'on pût ensemencer. A l'époque de la moisson, l'ivraie stérile et autres herbes folles avaient entièrement couvert la surface des champs. Là où les rendements étaient les meilleurs le muid de semence, à la moisson, rendait un setier; quant au setier, c'est à peine s'il donnait une poignée. Cette stérilité vengeresse commença en Orient. Elle dépeupla la Grèce, passa en Italie; de là, par les Gaules, où elle pénétra, elle gagna toutes les nations anglaises. Alors l'étreinte de la disette se resserra sur la population tout entière : riches et gens aisés pâlissaient de faim tout comme les pauvres. Les procédés malhonnêtes des puissants disparurent dans la détresse universelle. Quand on arrivait à découvrir quelque victuaille mise en vente, le vendeur selon sa fantaisie avait toute liberté pour dépasser le prix ou pour s'en contenter. Dans bien des lieux en effet le muid coûta soixante sous, et ailleurs le setier quinze sous. Cependant, quand on eut mangé bêtes et oiseaux, poussés par une faim terrible, les gens en arrivèrent à se disputer des charognes et autres choses innommables. Certains, contre la mort, cherchèrent un recours dans les racines des bois, dans les plantes aquatiques ; en vain. Il n'est à la colère vengeresse de Dieu de refuge qu'en soi-même. Raconter maintenant à quelle corruption en arriva alors le genre humain fait horreur. Hélas ! Ah, douleur ! chose autrefois presque inouïe : enragés par les privations, les hommes furent à cette occasion acculés à recourir à la chair humaine. »

Raoul Glaber, « *Histoires* ».

Contre les prêtres et les évêques.

« Voici promu le moine à l'évêché :
Pâle et amaigri par le jeûne
Il a tôt fait, d'une dent bruyante et inlassable,
Engloutissant en six bouchées six gros poissons,
Venant à bout, à son dîner, d'un énorme brochet,
De prendre en moins de deux ans du poids et du lard,
A l'image des porcs affamés.
Lui qui, au cloître, s'abreuvait au fleuve,
Ore fait de force vin si grand déluge,
Qu'on le porte au lit par les bras, ivre.
Ore verrez venir par troupes de mille et mille
Ses parents et ses neveux
« Je suis, disent-ils, un parent de l'évêque, je suis de sa famille. »
Et lui de faire celui-ci chanoine, cet autre trésorier.
Les vieux serviteurs, longtemps en place,
Perdent leur travail et leur poste.

Le triste hypocrite que vous avez élu,
Une fois acquis l'honneur qu'il n'a pas mérité,

Se montre pour commencer bon et doux :
Devant tous il courbe l'occiput
Prêt à donner tout ce qu'on exige.
Mais les deux premières années une fois passées
Il se montre désormais dur, odieux à ses subordonnés.
Il vous persécute, vous accable de procès, de chicanes
Il se retire aux champs, dans des coins cachés
Et là, secrètement, en cachette,
Il use de viandes défendues par la règle.
Que l'exige la rage de son désir lascif,
Et, sans attendre, un adolescent, fils de chevalier,
Qu'il va faire adouber pour ses mérites
Le branle de ses doigts caressants ;
Et plus dru qu'un bélier il mène sa besogne.

C'est alors que se révèle votre folie
Quand l'incontinence du pontife
S'étale avec sa vanité, son avarice
Et chez certains, la folie et l'ignorance.
Que Beauvais désormais se garde de telles pratiques. »

Attribué à Hugues d'Orléans ou Primat (né vers 1095), composé vers 1144-1145.

D'Ebles, comte de Roucy, 1102.

« Dilapidant les biens de la noble église de Reims et des églises rattachées à elle, le puissant et turbulent baron Ebles de Roucy et son fils Guichard les soumettaient aux ravages de leur tyrannie. Son activité au métier des armes (il avait poussé l'ostentation jusqu'à partir pour l'Espagne avec une armée d'une importance qui ne convenait qu'aux rois) s'élevait de pair avec une rapacité déréglée qui le poussait aux pillages, aux rapines, aux méchancetés de toute espèce.

« Contre un criminel de cette stature le seigneur

roi Philippe avait cent fois reçu des plaintes lamentables ; elles finirent par arriver à deux ou trois reprises jusqu'à son fils ; ce fils alors convoque et rassemble une petite armée d'environ sept cents chevaliers choisis parmi les plus nobles et les plus robustes barons de France ; il marche en tête vers Reims ; par une active campagne de presque deux mois il châtie les pillards qui s'en sont précédemment pris aux églises, dévaste les terres du tyran susnommé et de ses complices, les anéantit par le feu, les livre au pillage. Bien fait : voici les pillards pillés, les bourreaux aussi, ou plus durement, torturés. Si grande était, tant qu'il fut là, l'ardeur du sire et celle de son armée, qu'ils cessèrent à peine — ils ne cessèrent pas si l'on excepte les samedis et les dimanches — soit, épées et lances au poing, de chercher le contact, soit de ravager les champs pour venger les injures reçues.

« Cette lutte n'était pas seulement dirigée contre Ebles, mais aussi contre tous les barons voisins qui, avec les grands barons lorrains leurs parents, formaient un ost extrêmement fourni. »

Suger (1089-1151)
« *Vie de Louis le Gros.* »

Lettre d'Aelred de Rielvaux, abbé cistercien, à un abbé de Fountains Abbey, 1160.

« Une moniale de l'ordre de Gilbert de Sempringham, monastère de Watton, a péché avec un chanoine. Enceinte et découverte, elle est mise au cachot, enchaînée. On a fait venir son complice... « quelques-unes des moniales, remplies de zèle pour Dieu et non point de sagesse, et qui souhaitaient venger l'injure faite à leur virginité, demandèrent aussitôt aux frères de leur remettre le jeune homme pour un court moment, comme pour apprendre de lui quelque secret. Elles s'en saisirent, le jetèrent à terre et l'y maintinrent. La cause de tous ces malheurs [la moniale] fut introduite comme à un spectacle ; un instrument fut placé dans ses mains, et elle fut forcée, malgré elle, de couper de ses propres mains les parties viriles de son complice. Alors l'une de celles qui le maintenaient arracha les parties qui lui avaient été enlevées et les enfonça dans la bouche de la coupable, telles qu'elles étaient, souillées de sang. »

De ceux qui dorment avec deux sœurs.

« Voyons les prescriptions des canons touchant ceux qui couchent avec deux sœurs, ou avec deux frères. Qui aura dormi avec deux sœurs, s'il est marié avec l'une des deux, qu'il n'ait aucune des deux ; et que les adultères ne soient jamais unis en mariage (Concile d'Orléans). De même, envers sa propre femme, il n'est plus permis de s'acquitter du devoir conjugal : en connaissant sa sœur on se l'est rendue intouchable. La mort de l'épouse n'autorise pas le coupable, ou l'adultère, à se marier. Même point de vue chez le pape Zacharie : tu as couché avec la sœur de ta femme : si tu l'as fait, n'aie aucune des deux ; ta femme, si ce forfait s'est produit à son insu, et qu'elle ne veuille pas rester chaste, qu'elle se marie devant Dieu à qui elle veut. Pour toi et l'adultère, restez sans jamais espérer le mariage et passez toute votre vie dans la pénitence. Quand il dit « qu'elle épouse qui elle veut », il faut entendre, « après la mort du mari ». Et Grégoire : qui surprend sa femme en adultère, qu'il ne prenne pas une autre épouse, ni la femme, un autre mari, aussi longtemps qu'ils vivront. Si l'adultère meurt, qu'il (le mari) se marie s'il le veut. L'adultère, jamais, même après la mort de son mari ; qu'elle passe tous ses jours à gémir dans la pénitence. Il s'agit ici de l'adultère commis avec un parent du mari, ou une parente de la femme. »

Pierre Lombard (fin du XIe siècle-1160), « *Livre des sentences* ».

Forum Conche (Fuero de Cuenca), 1189.

XI. 27. Celui qui viole une religieuse. Quiconque viole une religieuse est jeté d'une hauteur si on peut l'attraper ; sinon, il paie cinq cents pièces des biens qu'il possède.

XI. 29. Celui qui insulte une femme qui n'est pas de la ville. Quiconque insulte une femme qui n'est pas de la ville, l'appelant putain, frotteuse ou lépreuse, paie deux maravedis et, de plus, jurera qu'il ignore si le qualificatif employé convient à l'injuriée ; s'il ne veut pas jurer, il sera déclaré ennemi. Mais si une personne viole ou insulte une putain publique, il ne paiera rien.

XI. 32. Celui qui vole les vêtements d'une femme nue. Quiconque vole les vêtements d'une femme en train de se baigner, ou dépouille une femme de ses vêtements, paie trois cents pièces ; s'il nie et que la demanderesse ne peut prouver, il prêtera serment en même temps que douze voisins, et il sera cru ; est exceptée de ce cas la putain publique qui n'a droit à aucune compensation pécuniaire, comme il a été dit avant.

XI. 33. Celui qui coupe les seins d'une femme. Quiconque coupe les seins d'une femme, paie deux cents maravedis, et est déclaré ennemi : s'il nie, la demanderesse choisira, selon ce qu'elle préfère, le serment de douze voisins ou le défi judiciaire.

XI. 34. Celui qui coupe les jupes d'une femme. Quiconque coupe la jupe d'une femme sans mandat du Juge ou des alcades, paie deux cents maravedis et il est déclaré ennemi...

XI. 36. Le bigame qui possède en même temps deux épouses. Tout homme qui possède une femme légitime dans un autre lieu et qui se marie à Cuenca, alors que vit encore la première femme, sera jeté d'une hauteur. Si une femme possède mari dans un autre lieu et se marie avec un autre à Cuenca, elle sera brûlée vive; si elle se repent, elle sera fouettée sur toutes les places publiques et dans toutes les rues de Cuenca, et sera expulsée de la ville.

XI. 37. L'homme marié qui entretient publiquement une concubine. Celui qui possède femme légitime, que ce soit à Cuenca ou en autre lieu, et qui entretient publiquement une concubine : tous les deux, attachés ensemble, seront fouettés publiquement.

XI. 39. La femme qui avorte volontairement. La femme qui avorte volontairement sera brûlée vive, si elle le confesse; sinon elle sera absoute par l'épreuve du feu.

XI. 42. Celles qui connaissent les herbes et les charmes. La femme qui connaît les herbes ou les charmes sera brûlée vive, ou sera absoute par l'épreuve du feu.

XI. 44. Les entremetteuses. Toute femme dont il sera connu qu'elle est entremetteuse, sera brûlée vive; s'il s'agit seulement d'une rumeur, et qu'elle nie, elle sera absoute par l'épreuve du feu.

La quête de Dieu

Obstinément fidèle à la tradition romaine, l'art impérial montre des visages d'hommes et de femmes. Pour la plupart, les yeux ouverts sur un autre spectacle, au-delà, par-delà les apparences. Quelques visages cependant nous ressemblent. Ceux-ci appartiennent généralement aux représentations de l'enfer. Pour une raison fort simple : les intellectuels de ce temps, les hommes d'église qui guidaient la main des artistes, jugeaient que l'enfer, c'est le monde visible, charnel : le nôtre. Perverti, envahi par le péché, lentement pourrissant, condamné. Il va finir. Parce qu'il est moribond et parce qu'il est mauvais il faut lui tourner le dos. Si l'on en est capable. Certains le peuvent : les moines. Des héros. Le XIe siècle les a vénérés. Il a placé tout son espoir de salut dans les monastères. Il les a choyés. Il a comblé de ses dons ces refuges. Comme les châteaux, ce sont des lieux tutélaires, citadelles dressées contre les assauts du mal, souvent juchés sur la montagne, symbole d'éloignement, d'ascension, degré par degré, vers la pureté. Comme le château, le monastère draine les richesses des contrées d'alentour. Mais les chevaliers, les paysans livrent volontiers ce qu'ils ont — parce qu'ils craignent la mort, le jugement, et que les moines les protègent contre les pires dangers : ceux qu'on ne voit pas.

Au sud de la chrétienté latine, les rois n'étaient plus guère visibles. On les nommait encore, on prononçait encore leur nom dans les liturgies, mais ils semblaient aussi lointains que les dieux. La royauté n'était plus qu'un mythe, une idée de paix et de justice. Les monarchies étaient ici tout à fait désagrégées dans l'exubérance de la poussée féodale. Dans l'Europe du Midi, les foyers de l'innovation artistique ne se trouvaient donc pas, comme en Germanie, sur les bords de l'Oise et de la Seine, à Winchester, dans les cours royales ; ils étaient dans les grands monastères, dans ceux surtout qui se trouvaient en liaison plus étroite avec les aires de culture avancée. C'était le cas de ceux d'Espagne. Pas de frontière ici entre chrétiens et musulmans. Un affrontement militaire permanent ; des alternances de succès, de revers ; tantôt les escadrons de l'Islam fonçant sur Barcelone, poussant jusqu'aux Pyrénées, tantôt les guerriers du Christ galopant jusqu'à Cordoue, forçant les portes de Cordoue. Des échanges toujours. L'Europe chrétienne s'emparant de ce qu'elle pouvait prendre, l'or, les esclaves, plus de raffinement dans les paroles et dans les gestes, plus de subtilité dans les démarches de l'esprit. Parce que de vigoureuses communautés chrétiennes prospéraient sous la domination tolérante des califes, les monastères de Castille, d'Aragon, de Catalogne restaient en relation, par Saragosse et Tolède, avec les très vieux foyers, très vivaces, les berceaux orientaux du christianisme. Cette communication favorisa les innovations architecturales dont les églises des Pyrénées furent le lieu au début du XIe siècle.

Conformément à la règle bénédictine, l'existence des moines est d'abord séparation, rupture. Mais, à l'abri de la clôture qui garde des corruptions du siècle, elle est aussi communauté. La solitude se vit en groupe. Quelques dizaines, parfois quelques centaines d'hommes, tous sortis de l'aristocratie, forment une fraternité. Un père la conduit : l'abbé. De ces grandes maisons de famille qu'étaient alors les abbayes, il ne reste aujourd'hui à peu près rien. Sinon parfois la cour centrale, autour de laquelle s'ordonnaient les locaux collectifs, le dortoir, le réfectoire, la salle où l'on se réunissait pour traiter les affaires communes. Cet espace, entouré d'arcades, refermé sur lui-même, image même du retrait, du repli, c'est le cloître. Aménagé pour la déambulation, pour que chaque frère vînt y ruminer, en marchand, la parole des livres, le cloître montre la création ramenée par l'obéissance et l'humilité à ses ordonnances primitives, les quatre éléments de la nature visible, l'air et le feu, la terre et l'eau, arrachés à la turbulence : la Terre Promise. Sur l'une des travées, l'église. Souvent elle seule demeure debout, après mille ans.

C'est l'œuvre d'art par excellence, de cet art nouveau qui s'est forgé au seuil du second millénaire de l'ère chrétienne en Lombardie, en Bourgogne, en Catalogne. Tout l'effort d'invention, toutes les recherches se sont concentrés sur l'édifice abritant l'autel du sacrifice. Pour qu'il soit bâti de beaux blocs ajustés, un roc, une pierre contre quoi Satan ne puisse prévaloir. Pour qu'il soit très beau, puisque l'office, pour être agréable à Dieu, doit se dérouler en pleine magnificence.

Pour que surtout, par la perfection de ses formes, le monument soit l'expression de l'ordre invisible. Comme la peinture des livres, mieux qu'elle, l'architecture de l'église est dévoilement. Révélation du mystère.

Déjà, par la manière dont elle s'implante dans l'espace, l'église fait entrevoir la vérité cachée sous le voile des apparences. Toujours elle est orientée. Son chevet, le point vers lequel la communauté a les yeux tournés lorsqu'elle prie, regarde vers l'est, vers l'aurore, vers la lumière qui chaque matin se lève, dissipant l'anxiété, proclamant la victoire certaine du bien sur le mal, de Dieu sur le diabolique, de l'éternité sur la mort. La structure du bâtiment enseigne elle aussi. Si les bâtisseurs s'archarnèrent à substituer la voûte à la charpente, c'est qu'ils voulaient, employant un seul matériau, la pierre, parler d'homogénéité, de cohérence indissociable, donner une équivalence visible de l'unité du genre humain rassemblé par la même foi, de l'unité des trois personnes divines, de l'unité consubstantielle du Créateur et de ses créatures. Les premières expériences furent menées dans la partie souterraine du sanctuaire, dans cette nécropole sur quoi la plupart des monastères étaient plantés, parmi les tombeaux des saints, des bienfaiteurs : l'une des fonctions du monastère était en effet d'entretenir les morts, de favoriser la communication entre le monde des vivants et celui des défunts. Mis au point dans les cryptes, les procédés de construction furent donc transportés dans l'église haute : le pilier remplaça la colonne, les voûtes furent lancées sur les bas-côtés, sur la nef. C'était le but : établir dans la similitude la crypte et ses sarcophages, le chœur et ses autels.

Dans l'église haute, la communauté monastique en effet remplit son office spécifique, sa fonction. Les moines sont des fonctionnaires. L' « opus Dei », le travail pour Dieu, leur incombe. Il consiste à prononcer, au nom de tous les autres hommes, au nom du peuple entier, les mots de la prière, sans interruption, de jour en jour, d'heure en heure, depuis le cœur de la nuit, lorsqu'ils descendent du dortoir pour lancer au milieu des ténèbres et du silence la première imploration, jusqu'à complies, le moment d'accomplissement où l'on frémit de voir le monde à nouveau basculer dans la nuit. Prier, c'est-à-dire chanter. L'âge roman ignore la prière muette et croit son Dieu plus sensible à la prière en commun, proférée d'une même voix, mais sur les rythmes de la musique, puisque cette louange doit s'accorder aux hymnes dont le chœur des séraphins entoure, au plus haut des cieux, le trône du Tout-Puissant. Huit heures par jour, les moines donc chantent à pleins poumons. Du chant grégorien, nous avons oublié qu'il était mâle, qu'il était violent, que c'était un chant de guerre, crié par les moines, ces combattants, contre les armées sataniques, pour les mettre en déroute, lançant contre elles, comme des javelots, la plus sûre des armes offensives : les paroles de la prière.

Chanter, danser : la liturgie se déployant comme une ronde très lente, majestueuse, le long de la nef, des déambulatoires, autour de la pierre sacrificielle, entre les pierres des murs, sous les pierres de la voûte.

Ces pierres, nous les aimons nues. Ceux qui les

ajustaient les ont voulu parées. Ils installaient, devant les autels, l'effigie du Seigneur, seul assis, entouré de sa cour d'anges et de bienheureux, présidant aux pompes cérémonielles. Ils plaçaient sur les murs des reliefs, des tentures, expliquant la création, racontant des histoires, et d'abord celle de Jésus, crucifié. Non pas mort cependant : les yeux ouverts. Non pas nu : en vêtement royal, embrassant du geste de ses bras étendus l'univers. Reparaissant dans sa gloire, triomphant, sur les fresques de l'abside, tel qu'on le verra revenir lorsque le voile se déchirera, lorsque s'ouvriront les portes du ciel et que, tout entière, l'humanité, au terme de sa marche, sortira du temps. Tel est bien le sens de l'office monastique et du bâtiment aménagé pour son déroulement : exposer les corrélations entre la terre et le ciel, entre le temps et l'éternité. Le spectacle dont les moines chaque matin sont de nouveaux les acteurs et dont l'église est le décor, aboutit, le jour de Pâques, à la mise en scène d'une résurrection. Dans le développement de son cycle annuel, la procession des moines au sein de l'espace architectural mime, en fait, le progrès du genre humain vers la fin du monde. A demi dégagée déjà du charnel, un pied déjà dans l'autre monde, la communauté monastique guide cette progression. Elle l'active. La société de ce temps croyait très fort à la solidarité, à la responsabilité collective. Dans le bien comme dans le mal. Lorsqu'un villageois commettait un crime, tous ses voisins se sentaient souillés. De même tous pensaient pouvoir être sauvés par la pureté, par les abstinences de quelques délégués. C'étaient les moines. Une poignée d'hommes chargés de détourner par des gestes, par des formules, la colère du ciel, de capter le pardon divin et de répandre autour d'eux cette rosée bénéfique.

Les moines n'ont pas construit de leurs propres mains leur église. Ils employaient des ouvriers, des salariés. Toutefois les créateurs, ceux qui conçurent l'édifice et choisirent ses ornements, étaient bien des savants, des initiés. Pour eux tous, les clés de la connaissance parfaite se trouvaient dans les nombres et dans leurs combinaisons. On tenait alors la mathématique pour la plus haute des sciences humaines, celle qui menait à s'approcher au plus près de la nature divine. Elle n'était disjointe ni de l'astronomie c'est-à-dire de l'observation, dans le firmament, des reflets les plus nets de la raison divine, ni de la musique, c'est-à-dire de l'acte même de prier. Au cours des astres, aux harmonies du plain-chant, la science des nombres unissait indissolublement l'architecture.

Une église romane est une équation en même temps qu'une fugue et qu'une transposition de l'ordre cosmique. De l'homme qui calcula les proportions de la grande basilique de Cluny, la plus parfaite peut-être de toute la chrétienté, son biographe dit en premier lieu qu'il avait reçu son inspiration des saints, de Pierre et de Paul, patrons de ce monastère. Il ajoute qu'il était « un admirable psalmiste » — entendons : un compositeur, habile aux agencements de la psalmodie. Effectivement l'édifice est bâti sur une armature complexe de combinaisons arithmétiques. Ce réseau de rapports numériques entrecroisés est comme une sorte de piège tendu pour saisir l'esprit de l'homme, l'attirer vers l'inconnaissable. Chacun de ces chiffres associés possède une signification secrète : un évoque, à qui sait entendre, Dieu l'unique ; deux, le Christ, en quoi les deux natures, la divine et l'humaine se mêlent ; trois, la Trinité ; le sens du nombre quatre est très riche : il dirige la méditation d'un côté vers la totalité du monde, les points cardinaux, les vents, les fleuves du paradis, les éléments de la matière (pour cette raison, le cloître, image de la nature réordonnée, est carré), de l'autre côté vers des réalités immatérielles, morales, vers les quatre évangélistes, vers les quatre vertus cardinales, vers les quatre extrémités de la Croix ; il parle lui aussi de l'homologie entre le visible et l'invisible. Le message qu'émet par ses seules proportions l'édifice est plus simple dans les églises des prieurés de campagne, à Chapaize, ou à Cardona ; il déploie au contraire ses innombrables harmoniques dans les abbatiales majeures, à Tournus ou à Conques. L'enseignement cependant est substantiellement le même. Ainsi partout, à la croisée de tous les transepts, se trouve inscrit le signe du passage, du transfert que la prière monastique a fonction de hâter. En ce point, à proprement parler crucial, comme au centre de l'oratoire impérial d'Aix-la-Chapelle, comme au centre du baptistère d'Aix-en-Provence, le regard est happé, contraint de s'élever depuis le carré, au ras de terre, vers le cercle, vers l'hémisphère de la coupole, afin que l'âme s'engage en un parcours de sublimation, de transfiguration véritable.

Le carré, le cercle — le paradis perdu, le paradis attendu, espéré. Instrument de divination en même temps qu'offrande, l'architecture que nous appelons romane participe de la magie autant que de l'esthétique. Elle a pris forme dans la pensée de quelques hommes très purs, qui s'évertuaient à percer les mystères, à pénétrer dans des provinces inconnues qu'ils devinaient, désirables, inquiétantes, par-delà ce que les sens, ce que la raison humaine sont capables d'appréhender. Leur esprit risquait de s'égarer dans le labyrinthe des fantasmes. Ils attendaient de l'œuvre d'art qu'elle servît de fil conducteur.

Sur la tapisserie de Gérone, la création est représentée telle qu'il eût fallu qu'elle demeurât, telle qu'elle était lorsqu'elle sortit des mains de Dieu, toutes ses merveilles offertes, les poissons, les fleurs, les oiseaux, Adam convié à mettre en valeur le jardin, sollicitant la nature à gestes paisibles, au fil des mois. Sur ce monde sans fissure, cohérent, règne, au centre de tous les cercles, un Christ jeune, imberbe, prince de la paix. En réalité, le monde s'est craquelé, démantibulé. Il est infecté, pourri. Et la question se lève obsédante, à quoi l'œuvre d'art et la prière associées cherchent réponse : pourquoi le mal ? Les plantes vénéneuses, les animaux griffus, les humains frénétiques, cruels, pervers ? Pourquoi les chevaliers pillards, pourquoi les paysans tordus de misère ? L'art monastique veut montrer que les saints de Dieu ont été eux aussi la proie du mal. On les a torturés, on leur a crevé les yeux, on les a bouillis, sciés en deux, mis en pièces. Dans le monde. Mais aujourd'hui, hors du monde, comme nous serons tous demain, ils vivent dans la gloire. Ils ont reçu leur récompense, un fief dans le ciel. Ce sont les vassaux d'un seigneur que l'on sait vengeur de toute injustice, qui foudroie, piétine, qui abaisse les orgueilleux, qui exalte les plus humbles. De ce formidable souverain, le monastère est le palais. Il le faut très beau, pour que le maître soit clément, il faut l'orner toujours. C'est l'antichambre du Paradis. On attend là que la porte s'ouvre. On frappe, on crie pour qu'elle s'ouvre plus vite, pour qu'il en soit fini du mal et de la misère, pour que la lumière déferle enfin. Pour que viennent les jours dont parle l'Apocalypse, terribles. Écoutons la parole de saint Jean :

« L'agneau brisa le premier sceau, et je vis un cheval blanc ; celui qui le montait tenait un arc ; on lui donna une couronne et il partit en vainqueur. Quand il brisa le deuxième sceau, surgit un autre cheval rouge feu ; à celui qui le montait, on ordonna de bannir la paix hors de la terre et de faire que les hommes s'entre-tuent, on lui donna une grande épée. Quand il brisa le troisième sceau, voici qu'apparut à mes yeux un cheval noir ; celui qui le montait tenait à la main une balance ; quand il brisa le quatrième sceau, c'était un cheval blême ; celui qui le montait, on le nomme la mort. Tels m'apparurent, en vision, les chevaux et leurs cavaliers ; ceux-ci portent des cuirasses de feu, d'hyacinthe et de soufre ; les têtes des chevaux sont comme des têtes de lions, crachant feu, fumée et soufre ; et leurs queues, terminées en têtes de serpents tuent ; alors, le tiers des hommes fut exterminé par ces trois fléaux : le feu, la fumée et le soufre, vomis par la bouche des chevaux ; sauterelles qui font penser à des chevaux équipés pour la guerre ; sur leurs têtes des couronnes d'or ; leurs faces rappellent des faces humaines ; leurs cheveux des chevelures de femmes ; leurs dents des dents de lions ; leurs thorax des cuirasses de fer ; le bruit de leurs ailes, le vacarme des chars aux multiples chevaux se ruant au combat ; elles ont des queues pareilles à des scorpions, avec des dards ; alors, périt toute chair qui se meut sur la terre : oiseaux, bestiaux, bêtes sauvages ; tout ce qui grouille sur la terre, et tous les hommes ; tout ce qui avait une haleine de vie dans les narines ; tout ce qui vivait sur la terre ferme mourut ; un énorme dragon, rouge feu, dont la queue balaie le tiers des étoiles du ciel et les précipite sur la terre ; alors il y eut une bataille dans le ciel ; Michel et ses anges combattirent le dragon ; et le dragon riposta avec ses anges, mais ils eurent le dessous et furent chassés du ciel ; l'ange maîtrisa le dragon et l'enchaîna pour mille années. Voici qu'apparut à mes yeux une foule immense que nul ne pouvait dénombrer, debout devant le Trône et devant l'Agneau, des palmes à la main ; les anges autour du Trône et des quatre vivants se prosternèrent, ils proclamaient « Amen, louange, gloire, sagesse, action de grâces, honneur, puissance et force à notre Dieu, pour les siècles des siècles, amen. »

Pour les hommes qui ne s'étaient pas jetés dans un monastère, rompant avec tout, il existait un moyen de laver leurs fautes, de gagner l'amitié de Dieu, c'était le pèlerinage. Quitter la maison, la parenté, s'aventurer hors du réseau de solidarités protectrices, cheminer pendant des mois, des années. Le pèlerinage était pénitence, épreuve, instrument de purification, préparation au jour de justice. Le pèlerinage était aussi symbole, marche vers Canaan, les amarres déjà larguées, prélude à la mort terrestre, à l'entrée dans une autre vie. Le pèlerinage était aussi plaisir. Voir du pays : la distraction de ce monde gris. En bandes, entre camarades. Et quand les chevaliers pèlerins s'en allaient vers Saint-Jacques-de-Compostelle ou Jérusalem, ils emportaient des armes, espérant à l'occasion chasser un peu l'infidèle : l'idée de la guerre sainte, de la croisade se forma pendant ces voyages. Ils ne différaient pas de ceux qui conduisaient périodiquement les vassaux vers leurs seigneurs pour leur service de cour. Ce service, les pèlerins le rendaient à d'autres patrons, les saints. Leurs reliques reposaient ici, là, dans les cryptes des monastères. Les pèlerins passaient de l'une à l'autre, accueillis, nourris, enseignés.

Le sermon monastique jouait sur la peur du jugement. L'essentiel en est passé dans la grande imagerie qui fut sculptée au début du XIIe siècle dans les plus riches abbayes aux porches des basiliques. On y voit principalement l'Éternel dans sa fonction de justicier, séparant, par le grand geste que lui prête le tympan de Conques, diagonale inexorable, la main droite levée vers les élus, la gauche abaissée, punissante, opérant le partage définitif entre le bon grain et l'ivraie qui se trouvent encore, dans ce monde-ci, inextricablement mélangés. A la droite du Christ, le sein d'Abraham, la demeure, la paix, les rythmes équilibrés d'une architecture. De l'autre côté, tout ce qui est vicieux, tourmenté, la gesticulation, le désordre. Un tri. Un crible laissant pénétrer ce qui est pur, retenant à l'extérieur, dans les ténèbres, la souillure et toutes les misères humaines : voilà précisément ce que le monastère veut être et que l'art monastique, l'architecture monastique entend montrer qu'il est. Passée la porte, par un franchissement qui préfigure le trépas en même temps que la fin du monde, le pèlerin s'introduit dans l'autre part de l'univers, la bonne. Il a laissé derrière lui la laideur et la souffrance. Moins abruptement, de manière moins fruste que ne l'ont fait déjà les sculptures du portail, les dispositions de l'espace à l'intérieur de l'église appellent à sortir de soi, à dépouiller peu à peu le vieil homme, à mesure qu'il s'approche, pas à pas, de cette merveille cachée, la châsse. Là se trouve ce qui sur la terre reste du saint, cet ami du grand Juge, son assesseur, l'efficace avocat dont il faut gagner les faveurs. C'est pour cela qu'on est venu, qu'on s'est tant fatigué, pour honorer le saint, rester un moment avec lui, dans sa maison. Obtenir d'y passer la nuit. Guetter sous les voûtes, le retour de la lumière, la délivrance, une aurore qui peut-être sera celle du dernier jour, de la grande migration dans la sonnerie des trompettes.

Les plus savants des hommes d'Église, lorsque le pèlerinage les amenait dans les monastères du Sud, étaient encore parfois choqués, au début du XIe siècle, d'y trouver des reliquaires en forme de corps, de visages, de voir les foules fascinées par ces simulacres. N'était-ce pas retomber dans l'idolâtrie ? Ils se rassurèrent. Les saints aimaient être figurés et que leurs statues soient parées. A Conques, celle de sainte Foy le fut. Les aumônes des riches et des pauvres recouvrirent entièrement son corps de ce qu'on pouvait trouver de plus rutilant, de très vieux bijoux que des générations de guerriers s'étaient successivement légués, et de cet or surtout, que l'Occident agressif, conquérant, victorieux, allait maintenant ravir, à pleines mains, par le succès des armes ou par le commerce de la paix, dans l'Espagne encore infidèle.

Voici ce qui s'est construit pendant le XIe siècle parmi les clairières. Pendant le XIe siècle, ces clairières n'ont cessé de s'élargir. Les nappes de solitude forestière se sont rétractées, trouées, elles se résorbent, et peu à peu les mouvements de la vie pénètrent jusque dans leur épaisseur. Les paysans sont forcés de travailler toujours plus dur et leurs seigneurs leur prennent presque tout. Pourtant, ils parviennent à mieux nourrir leurs enfants ; jadis, de six ou sept qui naissaient vivants, il en mourait quatre, cinq avant l'adolescence ; il n'en meurt plus que trois, et cela suffit pour stimuler tous les progrès. L'art, le grand art dont je parle, est né de l'oppression seigneuriale et de l'agenouillement du peuple devant les forces obscures qui jettent la famine, l'épidémie, l'invasion, et qu'il faut se concilier en donnant, en enrichissant toujours plus les meilleurs serviteurs du Dieu bon, les moines. Mais les moines, eux aussi, se sentent tenus d'offrir. Quoi ? L'œuvre d'art. L'art monastique est une offrande. C'est un don de gratuité fait au Seigneur, dont on attend le contre-don, la réciprocité. L'art monastique est un appel à la paix lancé depuis mille abbayes. Entre 980 et 1130, les chrétiens d'Occident ne se sont pas encore relevés de leur prosternation devant un Dieu qu'ils se figurent terrible. Ils sortent cependant de la sauvagerie. Ils produisent davantage. Ils sacrifient une large part de ces richesses nouvelles. Ils veulent qu'elles soient consacrées. C'est ainsi que leur rêve put s'incarner dans des ouvrages que nous voyons encore, que nous comprenons mal. Dans ce court intervalle, naquit le plus haut, et peut-être bien le seul art sacré de l'Europe.

Forum Conche (Fuero de Cuenca), 1189.

XI, 45. L'épreuve par le fer. Le fer qui sert à rendre la justice aura environ quatre pieds de long, de sorte que la personne qui doit prouver son innocence puisse y poser la main ; il aura une paume de large et, d'épaisseur, deux doigts. La personne qui doit prendre le fer le fera en cette façon : elle marchera neuf pas en le tenant et le posera doucement par terre ; mais auparavant ladite personne aura reçu la bénédiction d'un prêtre.

XI, 46. Pour chauffer le fer. Le Juge et le prêtre chauffent le fer, et pendant ce temps, personne ne s'approche du feu, par crainte de maléfice. Celui qui doit prendre le fer, premièrement sera examiné avec soin, pour être certain qu'il n'est porteur d'aucun objet de maléfice ; ensuite il se lave les mains en présence des témoins et il prend le fer avec les mains sèches. Aussitôt qu'il a reposé le fer, le Juge recouvre de cire la main qui a tenu le fer, et il l'enveloppe d'étoupe ou de lin ; autour de quoi il met une étoffe. Ceci fait, le Juge conduit la personne à sa propre maison, et au bout de trois jours, examine la main : si elle porte des traces de brûlure, celui qui a subi l'épreuve sera brûlé vif, ou subira la peine qui sera décidée. Seules prennent le fer les femmes dont il a été prouvé qu'elles sont entremetteuses ou qu'elles ont forniqué avec cinq hommes ; la femme suspecte de blessures d'homicide ou d'incendie volontaire, jure ou fournit un combattant de justice, ainsi qu'il est établie dans le Fuero.

XI, 48. La femme qui est surprise avec un infidèle. La femme qui est surprise avec un maure ou avec un juif : tous les deux seront brûlés vifs.

XII, 8. Celui qui crève un œil à un autre. Celui qui crève un œil à un autre paie cent maravedis : s'il le nie, il est absout par le serment de douze voisins, ou il affronte en combat singulier un homme de sa qualité.

XII, 11. Celui qui tranche le pouce à quelqu'un. Celui qui tranche le pouce à quelqu'un, paie cinquante maravedis ; s'il nie, il est absout par le serment de douze voisins, ou il affronte en combat singulier un homme de sa qualité.

XII, 12. Celui qui coupe un bras à quelqu'un. Celui qui casse le bras à quelqu'un, paie cinquante maravedis. S'il coupe le bras, il paie cent maravedis. S'il nie, il est absout par le serment de douze voisins, ou il affronte en combat singulier un homme de sa qualité.

XII, 13. Celui qui brise une jambe à quelqu'un. Celui qui brise une jambe à quelqu'un, paie cinquante maravedis. Celui qui tranche un pied, paie cent maravedis. S'il nie, il est absout par le serment de douze voisins, ou il affronte en combat singulier un homme de sa qualité.

XII, 16. Celui qui castre un homme. Celui qui castre un homme, paie deux cents maravedis, et il est ennemi ; s'il nie, il est absout par le serment de douze voisins, ou il affronte en combat singulier. Néanmoins, s'il s'agit d'un homme qu'il a surpris avec sa femme ou avec sa fille, il ne paie rien.

XII, 28. Celui qui sera surpris sodomisant. Celui qui sera surpris sodomisant sera brûlé vif. Celui qui dit à un autre. « J'ai joui dans ton cul », si on peut prouver que c'est la vérité, ils seront brûlés vifs tous les deux ; dans le cas contraire, sera seulement brûlé vif celui qui aura dit telle ignominie.

La croisade dite des enfants, 1212.

« A ladite époque eut lieu une expédition ridicule : des enfants et des hommes stupides prirent la croix sans aucune réflexion, par curiosité plus que par souci de leur salut. Y participèrent des enfants des deux sexes, garçons et filles, et pas seulement des petits, mais des adultes, les femmes mariées comme les célibataires, tous marchant la bourse vide et cela non seulement dans l'Allemagne tout entière, mais aussi dans la région des Gaules et celle de la Bourgogne. Ni leurs amis ni leurs parents ne pouvaient les empêcher en aucune manière de tout tenter pour prendre la route : la chose allait si loin, qu'un peu partout, dans les villages et dans les champs, ils laissaient là leurs instruments, ceux-là même qu'ils avaient alors en main, pour se joindre à ceux qui passaient. Comme, face à de tels événements, nous constituons une foule souvent et facilement crédule, bien des gens, voyant en ceci l'effet d'une vraie piété animée par l'inspiration divine, et non celui d'un entraînement irréfléchi, subvenaient aux besoins des voyageurs, leur distribuant des vivres et tout le nécessaire. Aux clercs et à quelques autres, d'esprit mieux équilibré, qui soulevaient des objections contre ce départ jugé par eux entièrement vain, les laïcs opposaient une résistance véhémente, taxant les clercs d'incrédulité et disant que, plus que la vérité et la justice, c'était l'envie et l'avarice qui les poussaient à s'opposer à cette entreprise. Mais une affaire engagée sans que la raison l'ait examinée et que la discussion l'ait consolidée n'aboutit jamais à rien. Aussi, quand cette multitude stupide fut parvenue en terre d'Italie, elle s'éparpilla et se dispersa dans les villes et dans les bourgades ; beaucoup d'entre eux furent retenus comme esclaves par les gens du pays. D'autres, dit-on, arrivèrent jusqu'à la mer, et là, abusés par des marins, ils furent transportés vers d'autres terres lointaines. Ceux qui restaient, lorsque, parvenus à Rome, ils virent qu'ils ne pouvaient aller plus loin — ils n'étaient en effet appuyés par aucune autorité — ils reconnurent enfin que leur fatigue était vaine et vide, sans pour autant être relevés de leur vœu de croisade, à l'exception des enfants qui n'avaient pas l'âge de raison et de ceux que la vieillesse accablait. C'est ainsi, déçus et confus, qu'ils prirent le chemin du retour. Eux qui avaient naguère coutume de traverser les provinces en troupe, chacun dans son groupe et sans jamais oublier de chanter, voici qu'ils revenaient en silence, un par un, nus pieds et faméliques. Ils étaient en butte à toutes les avanies et plus d'une jeune fille fut enlevée et perdit la fleur de sa pudeur.

« La même année, le duc d'Autriche, certains barons et d'autres hommes de conditions diverses entreprirent une croisade, pour aider le comte de Montfort dans son combat contre les Albigeois... hérétiques de la terre de Saint-Gilles. Le pape Innocent l'avait demandé et organisé et c'est lui qui imposait cette croisade, pour la rémission des péchés. »

« *Annales Marbaccenses.* »

« Lorsqu'on aime une image ou une personne, c'est l'accident qui aime l'accident, il ne doit pas en être ainsi : cependant je m'y résigne jusqu'à ce que je m'en sois débarrassé. »

« Celui qui voudrait en tout temps avoir le repos s'y laisserait prendre aussi bien qu'à toutes les autres choses. »

« Demeure en toi-même : l'occasion de s'occuper de choses étrangères se fait passer pour une nécessité, mais ce n'est qu'un prétexte. »

« Heureux l'homme qui ne se répand pas beaucoup en actes et en paroles : plus les actes et les paroles sont nombreux, plus se rencontre l'accident. »

Henri Suso (1295-1366).

« Au temps du roi de France Philippe [Auguste], le prédécesseur de celui qui règne aujourd'hui, il y avait dans la cité de Paris un usurier très riche, nommé Thibaud. Il avait des possessions nombreuses, une infinité d'argent amassé par l'usure. Pris de remords par la grâce divine, il vint à Maître Maurice, évêque de la cité, et s'en remit à son conseil. Celui-ci, tout enflammé alors par la construction de la cathédrale dédiée à Notre-Dame, lui conseilla de consacrer tout son argent à la poursuite de l'ouvrage entrepris. Ce conseil ayant paru à l'usurier un peu suspect, il alla trouver Maître Pierre le chantre et lui rapporta les paroles de l'évêque.

Maître Pierre lui répondit : « Il ne t'a pas, pour cette fois, donné un bon conseil. Mais va et fais crier à travers la cité par la voix du héraut que tu es résolu à restituer tout ce que tu as reçu pour prêts à gage. » Ce qu'il fit.

Puis revenant alors au Maître, Thibaud lui dit : « A tous ceux qui sont venus vers moi, j'ai rendu, en conscience, tout ce que je leur avais pris, et il m'en reste encore beaucoup. »

« Maintenant, tu pourras faire l'aumône en toute sécurité. »

L'abbé Daniel de Schönau l'a raconté que sur le conseil du Chantre, il s'était avancé par les places de la ville nu dans ses braies, flagellé par un serf qui disait : « Voici celui que l'État honorait à cause de son argent et qui retenait en otages les fils des nobles. »

« Un paysan agonisait; un diable était là, menaçant de lui enfoncer un pieu enflammé dans la bouche. Connaissant son péché, le paysan se retournait de-ci de-là, mais toujours le diable était devant lui avec son pieu. Il avait replanté un pieu de la même forme et de la même grosseur depuis son champ dans celui d'un honnête chevalier du même village, pour gagner sur sa propriété. Il envoya les siens à ce chevalier, promettant de restituer ce qu'il avait pris et le suppliant de lui pardonner. Le chevalier leur dit : « Je ne pardonnerai pas : qu'on le laisse bien torturer. » De nouveau, le paysan fut effrayé, comme la première fois; de nouveau il envoya les siens, mais n'obtint pas le pardon. Une troisième fois, mes messagers vinrent en larmes disant : « Nous vous prions Seigneur au nom de Dieu de remettre sa faute à ce malheureux, car il ne peut mourir et il ne lui est pas permis de vivre. » Le chevalier répondit : « Me voici bien vengé : je pardonne. » A l'instant, toute l'angoisse diabolique cessa. »

Césaire de Heisterbach,
« Dialogus miraculorum. »

« Je vais vous raconter une histoire assez extraordinaire, arrivée réellement de mon temps à Tolède. Beaucoup d'écoliers de divers pays venaient étudier là la nécromancie. Quelques jeunes Bavarois et Souabes, entendant leur maître dire des choses stupéfiantes, incroyables, voulant les vérifier, lui demandèrent : « Maître, nous voulons que ce que tu nous enseignes, tu nous le montres... » A l'heure convenable, il les mena vers un champ. Avec une épée, il traça autour d'eux un cercle, leur ordonnant, sous peine de mort, d'y rester enfermés. Il leur recommanda aussi de ne rien donner de ce qu'on leur demanderait et de ne rien accepter de ce qu'on leur offrirait. S'écartant un peu, il invoqua les démons par ses incantations.

« Aussitôt, ils sont là, sous les apparences de chevaliers bien armés, menant autour des jeunes gens les jeux de la chevalerie. Tantôt ils feignaient de tomber, tantôt ils tendaient vers eux leur lance ou leur épée, s'efforçant de mille manières de les tirer hors du cercle. N'y parvenant pas, ils se transformèrent en très belles jeunes filles et firent la ronde autour des jeunes gens, les aguichant par toutes sortes de simagrées. La plus séduisante des filles choisit l'un des écoliers. Chaque fois qu'en dansant elle s'approchait de lui, elle lui présentait un anneau d'or, le troublant au fond de lui-même et, par le mouvement de son corps, l'enflammant d'amour pour elle. Elle renouvela son manège de nombreuses fois. Vaincu, le jeune homme tendit enfin son doigt vers l'anneau hors du cercle. Aussitôt, elle l'entraîna. Il disparut. Emportant la proie, la troupe des esprits malins se dissipa en tourbillon.

« Il se fit une clameur et un tumulte parmi les disciples. Le maître accourut. Ils se plaignirent du rapt de leur camarade. « Ce n'est pas ma faute, répondit-il, vous m'avez forcé. Je vous avais avertis. Vous ne le reverrez plus. »

« Dans le diocèse de Cologne, une haine mortelle séparait deux lignées de paysans. Chacune avait pour chef un paysan magnanime, orgueilleux, qui toujours fomentait de nouveaux conflits, les envenimait, empêchant tout accord. Le ciel permit qu'ils moururent le même jour. Et parce qu'ils étaient de la même paroisse, par la volonté de Dieu qui voulait faire connaître à travers eux combien la discorde est mauvaise, les deux cadavres furent placés dans la même tombe. Chose admirable et inouïe : tous ceux qui étaient là virent les deux corps se tourner le dos, s'entrechoquant impétueusement de la tête, des pieds, du dos, comme des chevaux indomptés. On retira l'un d'eux pour l'enterrer dans une autre tombe. Par la rixe des deux morts, la paix revint entre les vivants. »

Césaire de Heisterbach,
« Dialogus miraculorum. »

« Il y avait un chevalier en Saxe, qui s'appelait Ludolph. C'était un tyran. Un jour qu'il chevauchait sur la route vêtu de robes neuves et écarlates, il rencontra un paysan sur son char. Le mouvement des roues ayant éclaboussé de boue son vêtement, cet orgueilleux chevalier, hors de lui, tira son épée et coupa l'un des pieds de l'homme.

« Il y avait un paysan nommé Henri qui s'approchait de la mort : il vit une pierre grande et brûlante suspendue dans l'air au-dessus de lui. Malade, brûlé par l'ardeur de cette pierre, il clama d'une voix horrible : « Le feu de cette pierre au-dessus de ma tête me dévore. » On appela un prêtre, qui le confessa mais en vain, et qui lui dit : « Rappelle-toi si tu n'as pas causé tort à quelqu'un avec cette pierre. » Faisant retour sur lui-même, le paysan dit : « Je me souviens : pour étendre mes champs, j'ai déplacé cette pierre au-delà des limites. »

Césaire de Heisterbach,
« Dialogus miraculorum. »

Charte de l'institution de paix pour Laon, 1128.

« 5. Si quelqu'un a une haine mortelle contre un autre, qu'il lui soit interdit de le poursuivre lorsqu'il sort de la ville, ou de lui tendre des embuscades lorsqu'il y va. S'il le tue alors qu'il y va ou qu'il s'en éloigne, ou s'il lui coupe un quelconque membre et qu'on porte plainte contre lui soit pour l'avoir poursuivi, soit pour lui avoir tendu des embuscades, qu'il se purge de l'accusation par le jugement de Dieu. S'il l'a frappé ou blessé en dehors des limites de la Paix, quand on aura pu prouver sur le témoignage légal des hommes de la Paix qu'il y a eu poursuite ou embuscade, il lui sera permis de se purger de cette accusation par serment. Si l'on a découvert qu'il est coupable, qu'il rende tête pour tête, membre pour membre, ou bien, sur la décision du maire et des jurés, qu'il se rachète honnêtement pour la tête ou pour le membre, selon la nature de celui-ci. »

« Ordonnances des rois de France. »

De l'adoration du chien Guinefort.

« Il faut parler en sixième lieu des superstitions outrageantes, dont certaines sont outrageantes pour Dieu, et d'autres pour le prochain. Sont outrageantes pour Dieu les superstitions qui accordent les honneurs divins aux démons ou à quelque autre créature : c'est ce que fait l'idolâtrie, et c'est ce que font les misérables femmes jeteuses de sorts, qui demandent le salut en adorant des sureaux ou en leur faisant des offrandes : méprisant les églises ou les reliques des saints, elles portent à ces sureaux, ou à des fourmilières ou à d'autres objets, leurs enfants, afin que guérison s'ensuive.

« C'est ce qui se passait récemment dans le diocèse

de Lyon où, comme je prêchais contre les sortilèges et entendais les confessions, de nombreuses femmes confessèrent qu'elles avaient porté leurs enfants à saint Guinefort. Et comme je croyais que c'était quelque saint, je fis mon enquête et j'entendis pour finir qu'il s'agissait d'un chien lévrier, qui avait été tué de la manière suivante.

« Dans le diocèse de Lyon, près du village des moniales nommé Neuville, sur la terre du sire de Villars, a existé un château, dont le seigneur avait de son épouse un petit garçon. Un jour, comme le seigneur et la dame étaient sortis de leur maison et que la nourrice avait fait de même, laissant seul l'enfant dans le berceau, un très grand serpent entra dans la maison et se dirigea vers le berceau de l'enfant. A cette vue, le lévrier, qui était resté là, poursuivant le serpent et l'attaquant sous le berceau, renversa le berceau et couvrit de ses morsures le serpent, qui se défendait et mordait pareillement le chien. Le chien finit par le tuer, et il le projeta loin du berceau. Il laissa le berceau et, de même, le sol, sa propre gueule et sa tête inondés du sang du serpent. Malmené par le serpent, il se tenait dressé près du berceau. Lorsque la nourrice entra, elle crut, à cette vue, que l'enfant avait été dévoré par le chien et elle poussa un hurlement de douleur très fort. L'entendant, la mère de l'enfant accourut à son tour, vit et crut les mêmes choses, et poussa un cri semblable. Pareillement, le chevalier, arrivant là à son tour, crut la même chose, et tirant son épée, tua le chien. Alors, s'approchant de l'enfant, ils le trouvèrent sain et sauf, dormant doucement. Cherchant à comprendre, ils découvrirent le serpent déchiré et tué par les morsures du chien. Reconnaissant alors la vérité du fait, et déplorant d'avoir tué si injustement un chien tellement utile, ils le jetèrent dans un puits situé devant la porte du château, jetèrent sur lui une très grande masse de pierres et plantèrent à côté des arbres en mémoire de ce fait. Or, le château fut détruit par la volonté divine et la terre, ramenée à l'état de désert, abandonnée par l'habitant. Mais les paysans, entendant parler de la noble conduite du chien et dire comment il avait été tué, quoique innocent et pour une chose dont il dut attendre du bien, visitèrent le lieu, honorèrent le chien tel un martyr, le prièrent pour leurs infirmités et leurs besoins, et plusieurs y furent victimes des séductions et des illusions du diable qui, par ce moyen, poussait les hommes dans l'erreur. Mais surtout, les femmes qui avaient des enfants faibles et malades les portaient à ce lieu. Dans un bourg fortifié distant d'une lieue de cet endroit, elles allaient chercher une vieille femme qui leur enseignait la manière rituelle d'agir, de faire des offrandes aux démons, de les invoquer, et qui les conduisait en ce lieu. Quand elles y parvenaient, elles offraient du sel et d'autres choses ; elles pendaient aux buissons alentour les langes de l'enfant ; elles plantaient un clou dans les arbres qui avaient poussé en ce lieu ; elles passaient l'enfant nu entre les troncs de deux arbres : la mère, qui était d'un côté, tenait l'enfant et le jetait neuf fois à la vieille femme qui était de l'autre côté. En invoquant les démons, elles adjuraient les faunes qui étaient dans la forêt de Rimite de prendre cet enfant malade et affaibli qui, disaient-elles, était à eux ; et leur enfant, qu'ils avaient emporté avec eux, de le leur rendre gras et gros, sain et sauf. Cela fait, ces mères infanticides reprenaient leur enfant et le posaient nu au pied de l'arbre sur la paille d'un berceau, et avec le feu qu'elles avaient apporté là, elles allumaient de part et d'autre de la tête deux chandelles mesurant un pouce, et elles les fixaient dans le tronc au-dessus. Puis elles se retiraient jusqu'à ce que les chandelles fussent consumées, de façon à ne pas entendre les vagissements de l'enfant et à ne pas le voir. C'est en se consumant ainsi que les chandelles brûlèrent entièrement et tuèrent plusieurs enfants, comme nous l'avons appris de plusieurs personnes. Une femme me rapporta aussi qu'elle venait d'invoquer les faunes et qu'elle se retirait quand elle vit un loup sortir de la forêt et s'approcher de l'enfant. Si, l'amour maternel forçant sa pitié, elle n'était pas revenue vers lui, le loup, ou, sous sa forme, le diable, comme elle disait, aurait dévoré l'enfant.

« Lorsque les mères retournaient à leur enfant et le trouvaient vivant, elles le portaient dans les eaux rapides d'une rivière proche, appelée la Chalaronne, où elles le plongeaient neuf fois : s'il s'en sortait et ne mourait pas sur-le-champ ou juste après, c'est qu'il avait les viscères bien résistants.

« Nous nous sommes transportés en ce lieu, nous avons convoqué le peuple de cette terre, et nous avons prêché contre tout ce qui a été dit. Nous avons fait exhumer le chien mort et couper le bois sacré, et nous avons fait brûler celui-ci avec les ossements du chien. Et j'ai fait prendre par les seigneurs de la terre un édit prévoyant la saisie et le rachat des biens de ceux qui afflueraient désormais en ce lieu pour une telle raison. »

Étienne de Bourbon (vers 1180-1261).

Dieu est lumière

Brusquement, au XIIe siècle, le mouvement d'expansion s'accélère. De la croissance, la croisade, la ruée des chevaliers du Christ sur les richesses de l'Orient, l'aventure fabuleuse, est un signe. Il en est un autre moins éclatant, plus sûr, inscrit dans le paysage : c'est alors que se mettent en place les traits que celui-ci présente encore aujourd'hui. Des villages neufs, des champs florissants, des vignobles, et ce nouvel acteur, dont on découvre qu'il va s'emparer du premier rôle, l'argent. La monnaie, toujours trop rare parce que l'on en a de plus en plus besoin partout, parce que tous les commerces s'animent. Effervescence : un progrès bouleversant, autant que celui qui entraîne notre époque et dont nous avons peine à supporter l'idée qu'il puisse ralentir. A tous les étages de l'édifice culturel, les contrecoups de cet essor se sont répercutés. Le sentiment religieux prit une autre teinte, la conviction s'imposant que le rapport à Dieu est affaire personnelle, que le salut se gagne en vivant d'une certaine façon. De l'Apocalypse, le regard glissa insensiblement vers les Actes des Apôtres, vers l'Évangile, pour chercher dans cette part de l'Écriture des modèles de conduite. Une telle translation retentit directement sur l'œuvre d'art.

Dans le même temps, les relations entre les hommes prenaient de la souplesse. Ceci favorisait les regroupements, les concentrations, les synthèses. Les premières phases de la croissance s'étaient manifestées, autour de l'an mil, par un éparpillement des pouvoirs, la féodalisation. Cent ans plus tard, des Etats, des principautés, des royaumes commencent de se reconstruire. Déjà les abbayes s'étaient rassemblées en congrégations, ce qui conduisait à poursuivre en commun des recherches esthétiques qui s'étaient inaugurées isolément, à Tournus, à Saint-Bénigne de Dijon, à Saint-Hilaire de Poitiers. En 1100, la plus puissante de ces congrégations était l'Ordre de Cluny, et le monument le plus prestigieux, la nouvelle abbatiale de Cluny, édifiée en quelques années grâce à l'or venu d'Espagne, grâce à l'argent venu d'Angleterre. La monnaie, déjà, en position maîtresse. Et de nouveau des souverains, tenus, en raison des dons en numéraire qu'ils avaient faits, pour les véritables bâtisseurs.

De ce monument, que reste-t-il ? Des ruines désolantes. Au début du XIXe siècle, cette merveille a servi de carrière de pierre. Les quelques vestiges révèlent cependant ce que fut le projet : rétablir dans sa plénitude ce que la féodalité avait étouffé : le palais impérial. Plus splendide que n'avait été celui de Charlemagne, puisque c'était le palais de Dieu. Digne de lui, des solennités qu'il exige. L'espace contenu par ses murs est enfermé strictement, séparé des troubles de la terre ; la lumière y est discrètement admise. Mais déjà les piliers se tendent pour élever les voûtes à perte de vue, « in excelsis ». Ils sont emportés par cet élan même auquel invite la grande sculpture du portail, dont il ne subsiste plus que quelques débris dérisoires, et qui représentaient, justement, l'Ascension. Une réplique permet d'imaginer ce que fut le grand Cluny : Paray-le-Monial. L'extérieur, discret, laisse seulement entrevoir la démultiplication envahissante des chapelles. Sur la façade occidentale des portes s'ouvrent comme un appel à s'engouffrer, à tout quitter pour s'établir enfin dans l'ordre. Tout l'intérieur converge vers le chœur, lieu de l'offrande, de l'élévation, que les abbés de Cluny voyaient comme le « promenoir des anges ». Un palais, la tête d'un empire plus parfait que n'importe quel autre sur la terre. Pour le construire, on a naturellement repris les colonnes cannelées, les gables, des formes empruntées à la romanité classique dont les empereurs de l'an mil avaient prolongé la conservation. Dans ce palais, la fête, et toutes les somptuosités du monde. Car les moines de Cluny, en toute bonne conscience, se considéraient comme des princes, formant la cour du Tout-Puissant, comme les courtisans d'une sorte de Versailles immatérielle, sacralisée. Persuadés qu'il leur incombait d'organiser en grande pompe une cérémonie ininterrompue et qu'ils devaient pour cela dilapider des trésors. Cette propension au luxe se manifeste de manière très évidente dans la petite chapelle de Berzé-la-Ville, un oratoire privé, que l'abbé Hugues fit décorer dans l'un des grands domaines où il aimait résider. L'ornement recouvre ici toute la muraille, déployant tous les agréments de la ligne et de la couleur. Dans les châteaux de la Judée, des princes francs s'accoutumaient alors à vivre dans de semblables raffinements. Mais les croisés et les prêtres qui les accompagnaient découvraient aussi en Terre Sainte, dans sa pleine réalité, l'existence que Jésus avait menée. Ils s'apercevaient que ce même Dieu, démesurément lointain lorsqu'en parle l'Apocalypse, avait vécu un jour comme chacun de nous, comme Lazare, comme Madeleine, comme ses amis — que le Seigneur suprême trônant dans les absides, avant d'avoir vaincu la mort, avait été ce maître bafoué qu'un disciple trahit, livra. Déjà, sur les fresques ornant le prieuré de Vic, en un simple échange de regards, l'humanité prend le pas sur le divin.

Sans doute, ce qui venait de la tradition monastique et qui culmine dans l'esthétique clunisienne portait-il toujours à préparer le logis du Sauveur pour son retour triomphal, à le saluer, à le traiter comme un roi. Une telle intention avait autorisé cette innovation téméraire, bouleversante : ériger au seuil des basiliques, en plein vent, au regard du peuple, de hautes figures sculptées semblables à celles que la Rome païenne établissait autrefois sur ses arcs de triomphe. Tailler dans la pierre l'effigie des prophètes, c'était pourtant figurer forcément dans une certaine vérité des corps et des visages d'hommes, arracher la vision à l'irréel. Ainsi à Moissac, le sculpteur a suivi au plus près le texte de saint Jean. Il a voulu montrer, au centre du ciel béant, l'Éternel inaccessible. Celui-ci se trouve attiré cependant de manière irrésistible vers la terre, et comme capturé. Par quels moyens ? Par la musique, qui fut sans doute l'art majeur de ce temps, le plus efficace instrument de connaissance, et dont saint Hugues avait ordonné que les tons fussent représentés sur les chapiteaux du chœur de Cluny, c'est-à-dire au cœur de tout le programme iconographique, au point de convergence de tous les gestes de la liturgie. Sur le tympan de Moissac, les musiciens sont des rois. Ils portent les insignes des rois de la terre. Le Christ dont ils chantent la gloire les domine, et l'archiabbé domine lui aussi les souverains terrestres. De ceux-ci, la croissance économique entraîne alors très rapidement la restauration de la puissance.

Elle suscite surtout, après la renaissance carolingienne du XIe siècle, après la renaissance ottonienne de l'an mil, une nouvelle renaissance, plus vigoureuse. Elle revivifie ce qui survit de l'héritage romain, l'humanisme. On le voit bien à Liège. Dans le bronze, sur les flancs d'une cuve baptismale, instrument d'un rituel de rénovation, d'un sacrement qui n'est pas réservé à quelques élus comme l'étaient les liturgies clunisiennes, mais destiné à se répandre sur tout le genre humain, des personnages apparaissent dans les attitudes les plus vraies. Toutes les entraves sont tombées qui retenaient cent ans plus tôt, dans ces provinces, les artistes serviteurs des empereurs de s'éloigner trop des modèles classiques, de s'exprimer selon leur tempérament propre. L'art renaissant du XIIe siècle est de libre audace. Et parmi les nouveaux baptisés, place est faite au philosophe : dans l'élan qui l'emporte, la chrétienté latine en est en effet maintenant à s'annexer sans crainte tout le savoir des païens.

Des figures d'hommes partout, et que pénètrent peu à peu les frémissements de la vie. Elles s'accumulent dans les cloîtres bénédictins, disposées là pour que la méditation des religieux rebondisse toujours plus haut, d'image en image. A celle de l'homme se juxtaposent les représentations des choses naturelles, des plantes, des animaux. La sculpture montre les créatures ramenées au plan très simple, régulier, rationnel dont Dieu avait l'esprit rempli lorsqu'il les façonna. De même, la société humaine apparaît dans ses structures idéales, conforme à la volonté divine : trois catégories, les paysans, les guerriers, les prêtres, les uns et les autres subordonnés aux moines, qui regardent l'humanité dont ils se sont séparés du haut de leur perfection. Lorsqu'ils disposent dans les galeries du cloître les expressions figurées de leurs rêves, deux tendances se discernent dont l'opposition révèle entre les valeurs du passé et celles de l'avenir une tension d'autant plus vive que le progrès se précipite. D'une part l'écho du message évangélique qui, dans les scènes représentant la vie de Jésus, invite à ne pas refouler la part de chair qui se trouve dans la personne de chaque homme et dans celle du Christ aussi. D'autre part le relent de l'ancien pessimisme, la condamnation de ce qui n'est pas esprit pur, l'obstination à voir partout le maléfique, à le dénoncer dans tout ce qui touche au corporel, par une multitude de signes, qui sont ceux du cauchemar et de la frustration. Les moines clunisiens étaient des seigneurs, fiers de l'être. Leur art est un art de grands seigneurs. Par la place qu'il fait aux représentations du péché, aux monstres, par exemple, qui grouillent dans le grand tumulte du pilier de Souillac, il porte témoignage de la violence, d'une civilisation dont c'était alors l'enfantement rageur.

« Que viennent faire dans vos cloîtres où les religieux s'adonnent aux saintes lectures ces monstres grotesques, ces extraordinaires beautés difformes et ces belles difformités ? Que signifient ici des singes immondes, des lions féroces, de bizarres centaures qui ne sont hommes qu'à demi ? Pourquoi les guerriers au combat ? Pourquoi des chasseurs soufflant dans les cors ? Ici, l'on voit tantôt plusieurs corps sous une seule tête, tantôt plusieurs têtes sur un seul corps. Ici un quadrupède traîne une queue de reptile, là, un poisson porte un corps de quadrupède. Ici, un animal est à cheval. Enfin la diversité de ces formes apparaît si multiple et si merveilleuse qu'on déchiffre les marbres au lieu de lire dans les manuscrits. On occupe le jour à contempler ces curiosités au lieu de méditer la loi de Dieu. Seigneur, si l'on ne rougit pas de ces absurdités, que l'on regrette au moins ce qu'elles ont coûté. » Cette voix qui s'élève pour condamner Cluny, pour crier que Cluny trahit l'esprit du monachisme, c'est celle de saint Bernard. Contestation. Elle exprime à ce niveau très élevé, dans les minces couches de la plus haute culture, les contradictions dont cette époque, autant que la nôtre, était remplie. Rupture, violente. Bernard de Clairvaux se battait. Contre tout. Contre les moines d'ancienne observance ; contre les cardinaux avides ; contre les philosophes, les humanistes ; contre les rois incestueux ; contre les chevaliers qui aimaient trop l'amour et la guerre. Lutteur infatigable, intraitable, impossible, qui se traînait malade aux quatre coins de la chrétienté pour moraliser. Nulle image ne montre les traits de son visage. Nous n'avons de lui que des paroles. Tonitruantes. Quantité de pamphlets, de sermons, dont des copistes avaient charge de répandre partout le texte. Pendant une génération, Bernard fut la conscience exigeante de la chrétienté. Il connaissait le monde, il y avait vécu vingt années en fils de chevalier, avant de se convertir, d'entrer avec une bande de camarades dans le monastère le plus austère, Cîteaux. Il avait eu le temps de percevoir cette forme nouvelle de corruption dont la monnaie est l'agent. Il appelait donc à se dépouiller toujours plus. Critiquant précisément les moines de Cluny pour le goût excessif qu'ils avaient du luxe et du confort. Proposant un autre style de vie monastique, un autre style d'art monastique, le cistercien.

C'est un retour. Le propos cistercien est réactionnaire, rétrograde : résister aux tentations du progrès et, pour cela, d'abord, fuir au plus loin. Revenir aux principes du monachisme bénédictin impliquait d'écarter la communauté du siècle, de l'isoler davantage, en plein désert. Cela fit le succès de l'ordre. La société du XIIe siècle s'enrichissait. Elle était encore dominée par des représentations morales qui lui faisaient penser qu'un homme peut être sauvé par le sacrifice d'autres hommes, ses substituts. Elle avait toujours besoin des moines. Mais de moines plus pauvres, puisqu'elle se sentait souillée par ses richesses. Elle admira chez les cisterciens qu'ils ne se laissent point prendre aux précipitations qui faisaient alors s'accélérer le temps, qu'ils reviennent au rythme calme des saisons et des jours, aux nourritures frugales, aux vêtements sans apprêt, aux liturgies rigoureuses, que le dénuement, le renoncement de cette petite élite, compense la voracité du reste des pécheurs et obtienne pour ceux-ci le pardon.

Cîteaux revint donc à la simplicité des formes architecturales. Conservant les mêmes, mais en expulsant le superflu, les débarrassant de tout ce qui, inutilement, les encombre. Les décapant. L'abbaye redevient un roc. La pierre dont elle est bâtie est laissée à sa franchise, rude. On y préserve les traces laissées par la peine des hommes. Chaque bloc est marqué du signe, du sceau de l'artisan qui l'a à grand effort façonné. Le cloître cistercien est dénudé. Comme doit l'être un atelier pour le travail efficace : ici, trouver Dieu à travers ses paroles. Plus d'images : les lignes droites, les courbes, quelques nombres simples. Que l'attention ne soit pas divertie. Qu'elle se fixe sur l'écriture afin d'en dégager le sens, le travail du corps alternant avec le travail de l'esprit puisque le prescrit la règle de saint Benoît. Dans d'autres ateliers, l'effort des religieux s'applique à la matière brute, retirant le métal de sa gangue, l'affinant, le purifiant, pour qu'il devienne utile. L'intention est la même : il faut exploiter les ressources que le Dieu créateur répand à profusion à notre portée dans les mots et dans les choses. Des uns et des autres, l'homme doit extraire le suc, patiemment, humblement, employant la vigueur de ses bras, de sa raison, de son âme. Voici pourquoi les forges, les greniers bâtis par les cisterciens ont la majesté de leurs églises : le grenier, la forge, le cloître, l'église sont en effet les différents outils d'une même fonction, d'un même office. Le monastère lui-même, comme la noix au milieu de l'écorce, comme l'esprit au milieu de la chair, s'établit au centre d'une clairière, où la nature végétale est laborieusement domestiquée, arrachée à sa turbulence, à sa somnolence. Le Seigneur n'a-t-il pas soumis toutes les créatures à l'homme ? N'attend-il pas de l'homme qu'il coopère avec lui, usant de son intelligence, à cet ouvrage continu, ininterrompu qu'est la création ? Les moines de Cîteaux qui n'acceptent plus de vivre en seigneurs, d'être nourris par la peine des autres comme l'étaient les moines de Cluny, se mirent donc au travail manuel. De ce seul fait, et malgré leur résolution de tourner le dos au progrès, ils s'établirent à l'avant-garde de toutes les innovations techniques, sur le front pionnier de ce siècle conquérant. Ils ont produit dans l'abondance ce que les villes et les châteaux, dans la croissance générale, réclamaient justement : le bois de feu et de charpente, le fer, le verre, la bonne laine. Les moines avaient choisi l'abstinence. Ils ne consommaient presque rien de cette production, ils la portèrent au marché. Ils en tirèrent de la monnaie. Qu'en faire ? L'aumône ? C'était difficile : les abbayes cisterciennes étaient à l'écart de tout. Cet argent servit à bâtir. Trois cents monastères en trente ans disséminés par toute l'Europe. Comment évaluer l'investissement, comme nous dirions, que nécessita la création de cette œuvre d'art immense, multiple et pourtant une, puisque les formes de toutes ces églises procèdent du même propos de simplicité, de solidité sereine.

Chacune de ces abbayes montrait, au milieu des solitudes, l'image d'une cité parfaite, un paradis sur la terre. Non point détaché de la terre, bien au contraire enraciné dans le matériel, incarné. C'est par cette volonté d'incarnation, par une réflexion soutenue par le fort courant qui portait les meilleurs dans l'église à méditer sur le mystère de Dieu fait homme, et que la croisade amplifiait, par la conviction — celle de saint

Bernard — que les moines ne sont pas des anges, qu'il leur serait pernicieux de vouloir trop, comme les clunisiens, leur ressembler, qu'ils ont un corps, qu'ils doivent dominer la chair dont ils sont faits afin de dominer le monde, c'est bien parce que — à la différence des moines qui les avaient précédés, à la différence des cathares — ils refusaient de s'évader dans l'irréel, parce qu'ils se sentaient tenus d'assumer pleinement, comme le Christ, leur maître, la condition humaine, que les cisterciens épousèrent le mouvement général. Il les entraîna malgré eux, sans qu'ils en prissent conscience. La contradiction s'accusa dans la seconde moitié du XIIe siècle entre leurs propos d'austérité et la réussite de l'économie cistercienne. Après la mort de saint Bernard, ces religieux, qui se voulaient très pauvres, gagnèrent de plus en plus d'argent et l'on s'aperçut de ce qu'il y avait d'arrogance dans la majesté de leurs granges. La société laïque se détourna lentement de Cîteaux : elle attendait désormais que les hommes d'Église n'aillent plus se cacher au fond des bois, mais s'occupent d'elle. L'institution monastique appartenait déjà au passé, au passé rural, comme toute la tradition qui portait condamnation du terrestre. L'art cistercien fut un dernier fruit. Admirable. Il a mûri dans l'automne du monachisme. Le printemps était ailleurs.

Il était dans l'élan d'optimisme conquérant qui faisait, à Pise, avec le butin ravi aux infidèles et les bénéfices du négoce, enrichir le décor d'une cathédrale bâtie sur le mode romain, embellir à Palerme, sur le mode byzantin et musulman, des palais de princes, maîtres de la mer et de ses merveilles. Le printemps était davantage dans cette révolution profonde qui faisait prendre conscience, progressivement, que le péché réside en chaque homme, qu'il lui faut lui-même s'en délivrer, qu'il ne peut s'en remettre à d'autres, qu'il doit pour cela écouter l'Évangile. Saint Bernard, et ce fut sa vraie victoire, avait chassé les monstres, refoulé les fantasmes. La figure du mal, au portail de la cathédrale d'Autun, n'est plus une sirène, une chimère. C'est une femme, très belle, à la fois tentante et coupable, et qui le sait. Saint Bernard avait prêché la seconde croisade à Vézelay. Il avait parlé devant un prodigieux ensemble sculpté, monastique encore, d'inspiration clunisienne, mais illustrant, lui, le nouvel esprit du christianisme. Dans le tympan de la basilique Sainte-Madeleine, où l'on vénérait les reliques d'une femme, d'une pécheresse, que Jésus pourtant aimait, le Christ est assis dans sa majesté. Il est source de la lumière. Elle émane de ses mains, vivifiante. Non plus tenue sous le boisseau, enfermée comme elle l'était dans les cryptes de l'an mil, comme elle l'était encore dans les somptuosités encloses de Cluny, non plus maintenue loin des foules comme elle le demeurait dans les abbayes cisterciennes pour la seule illumination de quelques parfaits. Diffusée. Répandue de tous côtés, de manière à ce que l'univers soit maîtrisé dans ses deux dimensions, espace et temps, jusqu'aux extrémités de la terre et jusqu'à la fin du monde. En effet l'expansion lumineuse n'est pas pour plus tard, repoussée dans un avenir incertain, comme elle l'est par l'Apocalypse. Elle n'est pas attendue, refusée pour l'instant. Elle est là, dans l'instant. Le Royaume peut être de ce monde. Des hommes le construisent : les apôtres. Des hommes qui n'ont pas été des moines, mais des prêtres, levain dans la pâte, nullement reclus, marchant pieds nus sur les grand-routes, parlant au peuple. Les envoyés du maître, appelés à porter sa parole. Il faut voir dans le tympan de Vézelay l'emblème d'un moment de l'histoire européenne, celui du grand départ, et le signe d'une vraie rupture, qui n'est pas retour au passé comme toutes les tentatives impériales de rénovation et comme, encore, la réaction cistercienne, mais avancée résolue vers les temps nouveaux. Sous la conduite d'un Dieu dont on proclame ici qu'il est lumière.

La lumière, le perpétuel rayonnement du dieu lumière répandu sur des créatures où insensiblement se joignent la matière et l'esprit, cette idée est au cœur de l'esthétique de Saint-Denis. Elle a conduit l'abbé de Saint-Denis, Suger, à vouloir réduire autant que possible dans le sanctuaire la place du mur, à rendre les murs poreux, translucides. A tirer pleinement parti pour cela de la croisée d'ogives, cet artifice de bâtisseurs dont les cisterciens n'avaient usé que comme un moyen de consolider l'édifice. Les rayons lumineux s'introduisent ainsi largement et Suger veut qu'ils soient triomphaux, parés de toutes les rutilences des gemmes. Gloire du vitrail.

Le monument ainsi conçu célébrait simultanément la gloire du roi des Cieux et celle du roi de France. Suger était moine, mais il mettait le monachisme au service de ce qui se trouvait alors en pleine adolescence, l'État, l'État monarchique. Conjuguant, pour le servir, le meilleur des innovations esthétiques dont les diverses provinces du royaume avaient chacune été le lieu, annexant la statuaire monumentale des basiliques du Sud, annexant ce qui pouvait se prolonger au Nord, dans les émaux et les bronzes du pays mosan, de la tradition carolingienne. Parachevant Cluny. S'opposant par là violemment à saint Bernard. Tout cela à l'époque même de l'épanouissement clunisien et de l'éclosion cistercienne. Voilà ce qu'il faut garder à l'esprit : l'efflorescence, le bouillonnement, une véhémence dans la recherche : toutes ces œuvres sont contemporaines. Il n'y a pas plus de distance chronologique entre Cluny, qui s'achève péniblement vers 1130, Fontenay, construit en quelques années après 1135, Vézelay, dont la sculpture date de ce moment même, Saint-Denis, dont on commence à rebâtir à ce moment le porche et l'abside, entre la maturité de ce que nous appelons l'art roman et les premières floraisons de ce que nous appelons l'art gothique, qu'il n'y en a entre Picasso, Matisse, et Bonnard, ou Marcel Duchamp. Contemporanéité, discordance, conflit. Mais partout le même désir de pureté intérieure, de noblesse extérieure ; âme et corps : incarnation. Suger a repris dans cet esprit le schéma intellectuel des concordances entre l'Ancien et le Nouveau Testament, sur quoi avait pris appui déjà l'iconographie des portails de Hildesheim. Mais l'intonation s'est modifiée : entre-temps la croisade a mis en évidence la part charnelle de la vie du Christ. Sur l'un des vitraux du chœur de Saint-Denis l'arbre de Jessé montre le corps de Jésus comme l'aboutissement d'un lignage d'hommes, d'une haute tige qui jaillit d'un ventre d'homme, et dont la sève monte, de génération en génération, de fleur en fleur : ces chaînons, ce sont des rois, les rois de Juda. Mais ceux qui voyaient l'image, reconnaissaient sur ces visages les traits du roi de France. Ils voyaient dans le visage du Christ, rayonnant, faisant exploser au faîte de la poussée vitale, vers tous les points de l'espace, les sept dons du Saint-Esprit, le symbole de toute expansion.

Durant le dernier tiers du XIIe siècle, l'entreprise inaugurée à Fontenay, à Vézelay, à Saint-Denis, se poursuit dans des cathédrales. Dans celle de Laon confluent les deux courants majeurs de la recherche, et les plus purs : une volonté de rigueur, de simplicité qui vient de Cîteaux, une volonté d'illumination qui vient de Saint-Denis. De cette conjonction est issu le principe de ce que les gens de l'époque ont nommé l'art de France. Dieu est lumière, les nouveaux théologiens le répètent. Ils voient la création comme une incandescence procédant d'une source unique, la lumière appelant à l'existence, de degré en degré, les créatures et, rebondissant par reflets, de maillon en maillon de cette même chaîne hiérarchisée, la lumière depuis les confins ténébreux du cosmos revenant à son origine qui est Dieu. Ce double mouvement, qu'est-il, sinon, tout simplement, celui d'un échange amoureux ? L'amour de Dieu se portant vers ce qu'il a créé, l'amour des êtres se portant vers leur créateur. Réciprocité. « Que l'âme cherche la lumière en suivant la lumière » avait dit saint Bernard. Abélard, qui ne médite pas seulement dans un cloître, qui enseigne à l'ombre d'une cathédrale le redit : « Nous approchons de Dieu dans la mesure exacte où lui-même s'approche de nous, en nous donnant la lumière et la chaleur de son amour. » Par le feu de l'amour, véritable intelligence de Dieu, l'âme échappe à l'obscur, elle flambe dans la lumière du plein midi. Voici pourquoi la cathédrale, séjour de

Dieu, fut voulue transparente, son architecture progressivement ramenée à des nervures, et la verrière se substituant à la cloison. Voici pourquoi la croisée du transept, la coupole opaque fait place à la lanterne. Tout s'abolit de ce qui pouvait rompre l'unité de l'espace interne. Il devient homogène, uniformément baigné de ces rayons qui sont à la fois connaissance et charité. Dans ce monument parvient à son terme le très lent mouvement de surrection. Il s'était animé en l'an mil dans les cryptes. Il était sorti de terre. Ascension, déploiement. Il aboutit à cette gerbe de ramures verticales par quoi le céleste est emprisonné. La fenêtre est désormais l'ornement autour de quoi tout s'ordonne. Elle revêt deux aspects : celui d'une rose qui peu à peu prend de la légèreté, se met à tournoyer, pour montrer justement le mouvement de diffusion et de retour qui distribue le créé dans une innombrable diversité en même temps qu'il le ramène à l'unité ; l'aspect d'une flèche, dardée, de plus en plus aérienne.

Geoffroi de Villehardouin (vers 1150 — vers 1213). « La Conquête de Constantinople. »

« Et alors les Grecs, qui étaient ainsi en conflit avec les Francs, virent qu'il n'était plus question de paix : et ils prirent conseil secrètement pour le trahir. Il y avait un Grec qui était mieux vu de lui que tous les autres et qui l'avait fait entrer en conflit avec les Francs plus que nul autre. Ce Grec avait nom Morchufle [Alexis Ducas].

« D'accord et d'entente avec les autres, un soir, au milieu de la nuit, comme l'empereur Alexis dormait en sa chambre, ceux qui devaient le garder, Morchufle en personne et les autres qui étaient avec lui, le prirent en son lit et le jetèrent en un chartre, prisonnier. Et Morchufle chaussa les bottes vermeilles, aidé et approuvé par les autres Grecs, et il se fit empereur. Après, ils le couronnèrent à Sainte-Sophie. Oyez donc si jamais si horrible trahison fut faite par nulle gent [...]

« Quand l'empereur Sursac apprit que son fils était en prison et que celui-là était couronné, il eut grand-peur et une maladie le prit : il ne dura pas longtemps, il mourut. Et cet empereur Morchufle fit donner du poison deux ou trois fois au fils, qu'il tenait en prison ; et il ne plut pas à Dieu que celui-ci mourut.

Après cela, il l'étrangla par meurtre, et quand il l'eut étranglé, il fit dire partout qu'il était mort de sa mort naturelle : et il le fit ensevelir et mettre en terre comme empereur, honorablement : et il fit grand semblant d'en avoir de l'affliction. [...]

« Alors vous eussiez vu abattre Grecs et prendre chevaux et palefrois, mulets et mules, et autre butin. Il y eut là tant de morts et de blessés que ce n'en était fin ni mesure. Une grande partie des hauts hommes de Grèce tourna vers la porte de Blaquerne. Et il était déjà tard dans la soirée, et ceux de l'armée étaient las de la bataille et du massacre. Et ils commencent à s'assembler en une grande place, qui était dans Constantinople : et ils décidèrent qu'ils camperaient près des murs et des tours dont ils s'étaient emparés : car ils ne croyaient pas qu'ils eussent pu vaincre la ville en un mois, les fortes églises ni les forts palais, et le peuple qui était dedans. Ainsi comme il fut décidé, ainsi fut-il fait.

« Ils campèrent ainsi devant les murs et devant les tours, près de leurs vaisseaux. Le comte Baudouin de Flandres et de Hainaut se logea dans les tentes vermeilles de l'empereur Morchufle, que celui-ci avait laissées tendues, et Henri son frère devant le palais de Blanquerne ; Boniface, le marquis de Montferrat, lui et ses gens, du côté du gros de la ville. L'armée se trouva campée comme vous avez ouï, et Constantinople prise le lundi de Pâque fleurie. Et le comte Louis de Blois et de Chartres avait langui tout l'hiver d'une fièvre quarte, et il n'avait pu s'armer. Sachez que c'était un très grand dommage pour ceux de l'armée, car c'était un très bon chevalier de sa personne, et il était couché en un huissier.

« Ainsi se reposèrent cette nuit-là ceux de l'armée qui étaient fort las. Mais l'empereur Morchufle ne se reposa pas : il assembla tous ses gens et dit qu'il irait attaquer les Français. Mais il ne fit pas comme il dit : il chevaucha vers d'autres rues, le plus loin qu'il put de ceux de l'armée, et vint à une porte qu'on appelle la

Porte Dorée. Par là il s'enfuit et abandonna la cité ; et à sa suite s'enfuit qui put s'enfuir, et de tout cela ceux de l'armée ne surent rien.

« En cette nuit, du côté du camp de Boniface le marquis du Montferrat, je ne sais quelles gens, qui craignaient que les Grecs ne les attaquassent, mirent le feu entre eux et les Grecs. Et la ville commence à brûler et à s'embraser très violemment, et elle brûla toute cette nuit et le lendemain jusqu'au soir. Et ce fut le troisième feu qui fut à Constantinople depuis que les Francs étaient arrivés au pays. Et il y eut plus de maisons brûlées qu'il n'y en a dans les trois plus grandes cités du royaume de France. [...]

« Alors fut publié dans toute l'armée, de par le marquis de Montferrat, qui était chef de l'armée, et de par les barons, et de par le duc de Venise, que tout l'avoir fût apporté et réuni, comme il avait été convenu et juré sous peine d'excommunication. Et les endroits furent fixés en trois églises, et l'on y mit des gardes de Français et de Vénitiens, des plus loyaux qu'on put trouver. Et alors chacun commença à apporter le butin et à le rassembler.

« L'un apporta bien et l'autre mal : car la convoitise, qui est racine de tous maux, ne chôma pas ; mais les convoiteux commencèrent dorénavant à retenir des choses, et Notre Seigneur commença à les moins aimer. Ah ! Dieu, comme ils s'étaient loyalement comportés jusqu'alors ! Et Dieu le Seigneur leur avait bien montré qu'en toutes leurs affaires il les avait pourvus et élevés plus que toute autre gent ; et maintes fois les bons ont dommage à cause des mauvais.

« L'argent et le butin furent rassemblés ; et sachez que tout n'en fut pas livré : car il y eut beaucoup de ceux qui en retinrent, malgré l'excommunication du pape. Ce qui fut apporté dans les églises fut rassemblé et partagé entre les Francs et les Vénitiens par moitié, ainsi qu'il avait été juré en leur contrat. Et sachez que, quand ils eurent partagé, [les pèlerins] payèrent sur leur part cinquante mille marcs d'argent aux Vénitiens ; et ils en répartirent environ cent mille entre eux parmi leurs gens. Et sachez comment : deux sergents à pied pour un sergent à cheval, et deux sergents à cheval pour un chevalier. Et sachez qu'aucun homme n'eut davantage pour rang ou pour mérites qu'il eût, sinon selon qu'il avait été décidé et établi, à moins que ce ne fût volé.

« Et pour le vol, celui qui en fut convaincu, sachez qu'il en fut fait grande justice ; et il y en eut beaucoup de pendus. Le comte de Saint-Pol fit prendre, l'écu au col, un sien chevalier qui avait retenu quelque chose. Et il y en eut beaucoup qui retinrent, des petits et des grands ; mais ce ne fut pas su. Vous pouvez bien savoir que grand fut l'avoir : car, sans celui qui fut volé, et sans la part des Vénitiens, il fut livré environ quatre cent mille marcs d'argent, et environ dix mille montures, tant des unes que des autres. Le butin de Constantinople fut partagé comme vous avez ouï. [...]

« L'empereur Morchufle, quand il apprit qu'ils venaient ainsi, ne les osa attendre, mais s'enfuit toujours à deux ou trois journées en avant ; et il s'en alla ainsi jusque vers Messinople, où était l'empereur Alexis. Et il lui envoya ses messagers, et lui manda qu'il l'aiderait et ferait toute sa volonté. Et l'empereur Alexis répondit qu'il fût le bienvenu comme son fils : car il voulait qu'il eût sa fille pour femme, et il ferait de lui son fils. L'empereur Morchufle se logea ainsi devant Messinople : et il tendit ses tentes et ses pavillons ; et l'autre était logé dans la cité. Et alors ils parlèrent ensemble, et [Alexis] lui donna sa fille, et ils s'allièrent ensemble et dirent qu'ils ne feraient qu'un.

« Ils séjournèrent ainsi je ne sais combien de jours, celui-ci dans le camp, celui-là dans la ville. Et alors l'empereur Alexis invita l'empereur Morchufle à venir manger chez lui, disant qu'ils iraient ensemble aux bains. Ainsi qu'il fut convenu, ainsi fut fait. L'empereur Morchufle, comme l'autre l'en pria, vint simplement et avec peu de gens ; et quand il fut dans sa maison, l'empereur Alexis le fit venir dans une chambre et le fit jeter à terre et lui fit arracher les yeux de la tête par la trahison que vous avez ouïe. Or oyez si ces gens-là devaient tenir une terre ou la perdre, qui faisaient de si grandes cruautés les uns contre les autres. Et quand ceux de l'empereur Morchufle apprennent cela, ils se débandent et prennent la fuite, les uns çà, les autres là ; et il y en eut qui allèrent à l'empereur Alexis et lui firent obéissance comme à leur seigneur et restèrent auprès de lui. [...]

« En ce temps-là, il advint que l'empereur Morchufle, qui avait les yeux arrachés, celui qui avait tué son seigneur l'empereur Alexis (le fils de l'empereur Sursac, celui que les pèlerins avaient amené dans le pays), s'enfuyait outre le Bras secrètement et avec peu de gens. Et Thierry de Los l'apprit, à qui il fut dénoncé ; et il le prit, et il l'amena à l'empereur Baudouin à Constantinople. Et l'empereur Baudouin en fut très joyeux, et il tint conseil avec ses hommes sur ce qu'il ferait d'un homme qui avait commis un tel meurtre sur son seigneur.

« Le conseil aboutit à ceci : il y avait une colonne à Constantinople, vers le milieu de la ville, qui était une des plus hautes et des mieux sculptées dans le marbre qui eût jamais été vue de regard d'homme : on le ferait amener là et on le ferait sauter en bas, à la vue de tout le peuple : car une aussi haute justice, tout le monde devait bien la voir. L'empereur Morchufle fut ainsi mené à la colonne ; et il fut mené en haut, et tout le peuple de la cité accourut pour voir la merveille. Alors il fut poussé en bas et il tomba de si haut que, quand il arriva à terre, il fut tout broyé. »

Du châtiment de la sorcière Katla et de son fils Odd.

« Geirrid, la maîtresse de maison de Mávahlid, envoya dire à Bolstad qu'elle était certaine que c'était Odd, fils de Katla, qui avait tranché la main d'Aud ; elle déclara qu'elle le tenait en propres paroles d'Aud elle-même et aussi qu'Odd s'en était vanté devant ses amis. Quand Thorarin et Arnkell entendirent cela, ils quittèrent la maison avec dix hommes, allèrent jusqu'à Mávahlid et y passèrent la nuit. Le lendemain matin, ils allèrent à Holt, d'où l'on aperçut leur expédition. Il ne s'y trouvait pas d'autre homme qu'Odd. Katla était assise sur l'estrade et filait : elle dit à Odd de s'asseoir à côté d'elle, « tais-toi et reste tranquille ». Elle demanda aux femmes de s'asseoir à leurs places : « Restez silencieuses, dit-elle, c'est moi qui parlerai. » Quand Arnkell et les siens arrivèrent, ils entrèrent aussitôt, et quand ils pénétrèrent dans la pièce, Katla salua Arnkell et demanda les nouvelles ; Arnkell dit qu'il n'en avait aucune à dire et demanda où était Odd. Katla dit qu'il était allé au sud à Breidavik, « et s'il était à la maison, il ne t'éviterait pas, car nous avons bien confiance en ta magnanimité ». « Cela se peut, dit Arnkell, mais nous voulons fouiller ici. » « Il en sera comme il vous plaira », dit Katla et elle demanda à l'intendant de porter une lumière devant eux et d'ouvrir l'office — « c'est le seul endroit qui soit fermé à clef dans la ferme ». Ils virent bien qu'elle filait une quenouille. Ils cherchèrent donc par la maison, ne trouvèrent pas Odd et s'en allèrent après cela.

« Quand ils furent arrivés à courte distance de l'enclos, Arnkell s'arrêta et dit : « Est-ce que Katla n'aurait pas abusé nos regards ? Odd, son fils, était là où nous avons cru voir une quenouille. » « Elle n'en est pas incapable, dit Thorarin, rebroussons chemin. » C'est ce qu'ils firent. Quand on vit, de Holt, qu'ils revenaient, Katla dit aux femmes : « Vous allez de nouveau vous asseoir à vos places ; Odd et moi allons sortir à leur rencontre. » Quand elle et Odd arrivèrent aux portes, elle entra dans le vestibule, devant les portes extérieures, y peigna Odd, son fils, et lui coupa les cheveux. Arnkell et les siens coururent aux portes et virent où était Katla : elle était occupée avec un bouc, égalisait sa toison et sa barbe, et démêlait ses poils. Arnkell et les autres entrèrent dans la pièce et ne virent Odd nulle part ; la quenouille de Katla se trouvait sur le banc ; ils se dirent alors qu'Odd n'avait pas dû se trouver là ; ensuite, ils sortirent et s'en allèrent.

« Mais quand ils furent arrivés près de l'endroit où ils avaient rebroussé chemin précédemment, Arnkell dit : « Est-ce que vous ne croyez pas qu'Odd aurait pris l'apparence d'un bouc ? » « On ne peut pas savoir, dit Thorarin, mais si nous retournons maintenant, nous nous emparerons de Katla. » « Essayons encore une fois, dit Arnkell, et voyons ce qui se passera. » Et ils rebroussent chemin, une fois encore. Quand on les vit approcher, Katla dit à Odd de l'accompagner ; lorsqu'ils furent sortis, elle alla à un tas de cendres et ordonna à Odd de se coucher auprès — « et restes-y, quoi qu'il arrive ». Dès qu'Arnkell et les siens arrivèrent à la ferme, ils coururent à l'intérieur, entrèrent dans la pièce. Katla était assise sur l'estrade et filait. Elles les salua et dit qu'ils faisaient de fréquentes visites. Arnkell en convint. Ses compagnons prirent la quenouille et la mirent en pièces. Alors Katla dit : « Vous ne pourrez pas dire, quand vous serez chez vous ce soir, que vous êtes venus ici à Holt pour rien, puisque vous avez brisé ma quenouille. » Ensuite, Arnkell et les autres se mirent à chercher Odd dehors et dedans, et ne virent aucun être vivant, hormis un verrat élevé dans le clos, qui appartenait à Katla et qui était couché près du tas de cendres. Après cela, ils s'en allèrent.

« Arrivé à mi-chemin de Mávahlid, Geirrid vint à leur rencontre avec un de ses ouvriers et demanda comment ça s'était passé. Thorarin le lui dit. Elle leur dit qu'ils n'avaient pas bien cherché Odd — « et je veux que vous rebroussiez chemin encore une fois, et j'irai avec vous ; il ne faut pas prendre les choses à la légère quand il s'agit de Katla ». Ensuite, ils firent demi-tour. Geirrid portait un manteau bleu. Quand, de Holt, on les vit approcher, on dit à Katla qu'il y avait maintenant quatorze personnes en tout, dont une en habit de couleurs. Alors Katla dit : « Alors, c'est Geirrid la magicienne qui sera venue, et les seules illusions des sens ne pourront plus suffire. » Elle se leva de l'estrade et tira un coussin de dessous elle ; il y avait, en dessous, la porte d'une trappe et un trou sous l'estrade ; elle y fit passer Odd, s'installa comme auparavant, s'assit dessus et dit qu'elle ne se sentait pas très bien. Quand Arnkell et les autres entrèrent dans la pièce, il n'y eut pas de salutations. Geirrid enleva son manteau et alla à Katla, prit un sac de peau de phoque qu'elle avait emporté avec elle et le mit sur la tête de Katla ; puis ses compagnons lièrent le sac dans le bas. Alors Geirrid ordonna de briser l'estrade, on y trouva Odd et on le ligota. Après quoi, Katla et Odd furent transportés vers l'intérieur jusqu'au promontoire de Buland, et Odd y fut pendu. Alors qu'on le pendait, Arnkell lui dit : « Mal t'est advenu de ta mère ; probable aussi qu'elle était mauvaise. » Katla dit : « Certes, il se peut qu'il n'ait pas eu une bonne mère, mais ce n'est pas parce que je l'ai voulu que mal lui est advenu de moi ; mais ce que je voudrais, c'est que mal vous échût à tous à cause de moi ; j'espère bien aussi qu'il en sera ainsi ; on ne vous cachera pas non plus que c'est moi qui ai causé à Gunnlaug, fils de Thorbjörn, les maux dont ont résulté tous ces ennuis ; quant à toi, Arnkell, dit-elle, il ne peut t'advenir de mal de ta mère puisqu'elle n'est plus en vie. Mais je souhaite que le sort que je te jette soit cause pour toi de plus de mal de la part de ton père qu'Odd n'en a reçu de la mienne, et ce, d'autant plus que tu cours plus de risques que lui ; j'espère bien aussi que l'on dira avant que ça ne finisse que tu avais un mauvais père. » Après cela, ils lapidèrent Katla à mort, là, sous le promontoire. Puis ils allèrent à Mávahlid. On apprit toutes ces nouvelles ensemble et nul n'en éprouva de chagrin. L'hiver se passa ainsi. »

« *La Saga de Snorri le Godi* », *vers 1230.*
(Invention littéraire sur des événements de l'histoire islandaise au xe siècle.)

« ... Ensuite des Français allèrent à Constantinople pour conquérir la terre, et ils rencontrèrent cette secte ; devenus nombreux, ils firent un évêque, qui fut dit évêque des latins... ensuite les Français qui allaient à Constantinople retournèrent chez eux, prêchèrent, et, devenus nombreux, instituèrent un évêque de France. Et parce que les Français furent d'abord séduits à Constantinople par des bulgares, par toute la France on appelle les hérétiques des bulgares. De même les provinciaux qui sont aux confins de la France, entendant leurs prédications et séduits par ceux de France, devinrent si nombreux qu'ils firent quatre évêques, à savoir celui de Carcassonne, d'Albi, de Toulouse et d'Agen. »

Anselme d'Alexandrie,
« *Tractacus de hereticis* », *vers 1260-1270.*

« Après avoir réuni avec nous dans l'église Saint-Étienne, l'évêque de Poitiers, ledit comte de Toulouse, et environ trois cents autres clercs et laïcs, nous leur enjoignîmes de nous exposer leur foi et d'abandonner l'infamie qu'ils répandent par toute la terre avec leur satanée prédication, pour revenir à la vérité de la foi catholique avec une confession salutaire. Et eux, au milieu de leurs paroles, présentèrent une charte où ils avaient écrit les articles de leur foi, et se mirent à les lire, tels quels. Comme, parmi les paroles que nous comprenions, certaines, qui nous paraissaient suspectes, pouvaient cacher l'hérésie qu'ils prêchaient, sauf plus amples explications, nous leur demandâmes de défendre leur foi en latin; parce que leur langue ne nous était pas assez connue; parce qu'il était connu que les Évangiles et les Épîtres, dont ils voulaient se servir pour prouver leur foi, étaient écrits en latin. Et comme ils n'osèrent pas le faire, vu qu'ils ignoraient tout à fait le latin, ainsi qu'il apparut par les paroles que l'un des deux voulut prononcer en latin, en pouvant à peine associer deux mots et en perdant pied complètement, nous dûmes condescendre à entendre un discours en langue vulgaire sur les sacrements de l'Église, à cause de leur ignorance, ce qui est suffisamment absurde... »

Pierre de Saint Chrysogone.

« Ceux qu'on appelait croyants des hérétiques s'adonnaient à l'usure, au vol, à l'homicide, aux plaisirs de la chair, au parjure et à toutes les perversités : ils péchaient avec une sécurité et une frénésie d'autant plus grandes qu'ils pensaient devoir être sauvés sans restituer leurs vols, sans se confesser et sans faire pénitence, pourvu qu'à l'article de la mort ils puissent réciter le « Notre Père » et recevoir l'imposition des mains de leurs maîtres... ils disaient encore qu'il n'y a pas plus de péché à dormir avec sa mère ou sa sœur qu'avec n'importe quelle autre femme...

« Pour ce qui est du comte de Toulouse qui semble avoir fait un pacte avec la mort et ne pas songer à la sienne, si par hasard le tourment lui donne l'intelligence et si son visage, couvert d'ignominie, commence à demander le nom de Dieu, continuez à faire peser sur lui la menace jusqu'à ce qu'il donne satisfaction, à nous, à l'Église et à Dieu. Chassez-le, lui et ses complices, des tentes du Seigneur. Dépouillez-les de leurs terres afin que des habitants catholiques y soient substitués aux hérétiques éliminés et, conformément à la discipline de la foi orthodoxe qui est la vôtre, servent en présence de Dieu dans la sainteté et la justice. »

« *Hystoria albigensis* »
de Pierre des Vaux de Cernay.

« Le vicomte et les siens sont montés sur les murs,
On lança avec des arbalètes des flèches garnies de plumes,
Et de part et d'autre beaucoup moururent.
Si le peuple qui s'était amassé n'avait été si grand,
Car de toute la terre il en était entré,
On n'aurait jamais pu la prendre et la forcer en moins d'un an.
Car les tours étaient hautes et les murs crénelés.
Mais l'eau leur a été prise, et les puits sont à sec,
A cause de la grande chaleur et du plein été.
A cause de l'infection qui se répand chez les hommes, tombés malades,
Et du nombreux bétail qu'on avait écorché,
Qui de tout le pays avait été amené,
A cause des grands cris, que poussaient de partout
Femmes et petits enfants, dont tout était encombré.
Les mouches qui tous ennuyaient, par la chaleur,
Ils n'avaient point connu tant de détresse depuis qu'ils étaient nés.
Il n'y avait pas huit jours que le roi [*d'Aragon*] s'en était allé,
Qu'un riche homme parmi les croisés demanda une entrevue,

Et le vicomte y alla, quand il eut reçu un sauf-
conduit,
Avec quelques uns de ses gens *(30, v. 10-25).* »

« La Chanson de la croisade albigeoise. »

La cathédrale, la ville, l'école

Par définition, la cathédrale est l'église de l'évêque. Depuis les débuts de la christianisation, un évêque est installé dans chaque cité. La cathédrale est donc une église urbaine. Ce que l'art des cathédrales signifie d'abord en Europe, c'est le réveil des villes. Parmi les vitraux, nombreux sont ceux qu'offrirent des associations de travailleurs ; elles entendaient ainsi ostensiblement consacrer les prémices de leur jeune prospérité. Ces donateurs n'étaient pas des paysans. C'étaient des gens de métier. Des hommes qui, dans la ville, dans ses faubourgs en constante extension, façonnaient la laine, le cuir, les métaux, qui vendaient les belles draperies, les bijoux, et couraient de foire en foire, en caravane. Ces artisans, ces négociants ont voulu que dans l'église mère de leur ville, sur les baies, transfigurées par la lumière de Dieu, soient représentés les gestes et les outils de leur labeur. Que leur office, leur fonction productive soient ainsi célébrés sur ce monument qui les rassemblait tous aux grandes fêtes, assez vaste pour accueillir la population entière de la cité. Les bourgeois en effet n'y pénétraient pas seulement pour prier. Leurs confréries s'y réunissaient, et la commune tout entière pour ses assemblées civiles. La cathédrale était la maison du peuple. Du peuple citadin.

Elle domine la ville. Elle jaillit de ce nœud de fertilité. Elle veille sur tout ce qui se forge et s'échange dans une agglomération qui en dehors d'elle n'est que fouillis de ruelles, de cloaques et de porcheries. Concentrée. Pressée. Petite ville à nos yeux. Combien d'hommes vivaient réunis à Laon au XIIe siècle quand la cathédrale fut construite ? Quelques milliers, pas davantage, mais beaucoup étaient riches et d'une richesse nouvelle, monétaire. Il est bien vrai que la vitalité urbaine procédait de la vitalité rurale, que la ville puisait dans la campagne environnante, matrice généreuse, des immigrants, sa nourriture, et les matières premières qu'élaboraient tous ses ateliers. La source de la fortune bourgeoise se trouvait là parmi les champs. Et les bœufs que l'on plaça, tutélaires, au sommet des tours de Laon, n'étaient-ils pas vus comme un hommage rendu au travail rustique ? Une chose est sûre en tout cas, c'est que l'argent, les innombrables pièces de monnaie qui passèrent de main en main pour édifier les cathédrales, avait d'abord été gagné par la peine, par la fatigue des paysans.

Du plat pays, les villes se veulent cependant séparées. Le bourgeois méprise les rustres. Il les craint aussi. Il s'en retranche. Chaque cité est un enclos, des portes que l'on ferme soigneusement le soir, des murailles que l'on modernise, par ces perfectionnements rapides qui favorisèrent l'architecture militaire aussi bien que celle des églises. C'est un château plus fort que les autres (et qu'étaient à l'origine ces marchands, ces artisans, sinon les domestiques spécialisés des seigneurs des tours, de l'évêque, des chanoines, du chef de la forteresse et de sa garnison de chevaliers ?). La ville est citadelle parce que les richesses qu'elle contient sont tentantes, faciles à prendre, parce que ceux qui détiennent en ces murs le pouvoir savent bien que c'est le lieu des perceptions les plus fructueuses, et qu'il faut protéger cette ressource : le premier souci du roi Philippe Auguste fut de fortifier Paris d'où lui venait le plus clair de ses revenus monétaires. Et lorsque Saint Louis, son petit-fils, fonda Aigues-Mortes sur les rives méditerranéennes de son domaine, pour s'embarquer plus aisément vers la Terre Sainte, il fit d'abord bâtir l'enceinte autour de ce point d'appui où les ravitaillements s'amoncelaient.

Aussi jalousement gardées que toutes les autres, ces forteresses que sont les villes s'en distinguent en ce qu'elles s'ouvrent sur le trafic. Elles en vivent. Des guerriers, des prêtres y font résidence, mais ce sont des hommes d'affaires qui entretiennent leur prospérité et qui parfois les gouvernent seuls. Vers leurs portes convergent tous les itinéraires, routes de terre, voies fluviales. Toutefois les instruments de la circulation servent à la défense : le pont est aussi muraille. On le voit bien sur les miniatures du XIIIe siècle qui illustrent une vie de saint Denis. Les ponts de Paris qui, trois cents ans plus tôt, avaient sauvé la cité des pillards normands, se trouvent toujours, flanqués de leurs châtelets, greffés sur un ensemble coordonné de fortifications. Des moulins encombrent leurs arches : il faut bien tirer profit de l'énergie de l'eau courante. Les navires ne passent pas : on doit, sur la Grève, débarquer le vin d'Auxerre à destination de la Normandie et de l'Angleterre, le transborder par-delà le Grand Pont. Sur celui-ci, couvert de maisons comme l'est encore aujourd'hui le Ponte Vecchio à Florence, parce qu'on le tient pour le lieu le plus sûr de la ville, le plus vif de l'animation se concentre, au point de jonction des charrois d'eau et des charrois de terre ferme, à la convergence de ce que l'on fabrique, de ce que l'on découvre par l'étude et l'artifice, de ce que l'on échange et de ce que les convois amènent des villages de banlieue, les plus riches alors du monde connu. Lieu d'abondance, grouillante, la cité est pour les moralistes de la cathédrale lieu de perdition. Ils la disent viciée par la cupidité, la goinfrerie et la luxure. C'est de fait un lieu de plaisir et tous les chevaliers rêvent d'y prolonger leur séjour. Le bonheur de vivre y côtoie l'extrême indigence : dans les murs, à l'affût de ce que l'on distribue, de ce que l'on jette, de ce que l'on peut dérober, des petits gains que l'on parvient à faire dans les interstices des activités honorables, vient en effet s'entasser la masse des laissés-pour-compte de la croissance, des éclopés, des migrants, des pauvres. Dans l'espace urbain, au sein d'une société violemment contrastée, mouvante, mal contenue dans des cadres encore très souples, se découvre, bouleversante, la misère.

Les solidarités l'amortissent en effet dans le monde rural où elle se résorbe. Dans la ville, on la voit étalée. Pour la mauvaise conscience des gens trop riches, des banquiers, des prêteurs d'argent, des changeurs qui tiennent boutique à Paris sur le Grand Pont, et de tous les professeurs, les maîtres, qui tiennent boutique sur le Petit Pont, et qui s'enrichissent, eux aussi, de leur métier.

Dans la ville, au cours du XIIe siècle, s'est renforcé le sentiment qu'être chrétien, ce n'est pas seulement faire certains gestes, réciter certaines prières, mais se remémorer qu'un riche a peu de chances d'entrer dans le Royaume des Cieux : Jésus l'a dit, qui vivait lui-même avec les prostituées et les lépreux, et qui les chérissait. Inquiétude. Elle incite à donner ce que l'on possède ; à le donner pour construire la cathédrale. Celle-ci, il ne faut pas l'oublier, est, sous ses apparences superbes, un monument d'humilité, le symbole d'un renoncement. Elle procède, comme l'église cistercienne, du sacrifice gratuit de profits trop vite acquis. Si on a pu la bâtir si ample, et souvent si rapidement, c'est que les bénéficiaires de l'expansion urbaine, pour sauver leur âme qu'ils savaient plus que tout autre menacée, donnaient à pleines mains l'argent. La cathédrale surplombe la fébrilité, les péchés du monde urbain. Elle est sa fierté, sa protection, son alibi.

Le monastère était replié sur lui-même. La cathédrale est tout ouverte. Elle est proclamation publique, discours muet qui s'adresse à la totalité du peuple fidèle, et d'abord démonstration d'autorité. Par ses façades aux allures de forteresse, par les tours qui les prolongent, imprenables, elle parle de souveraineté, du Christ-Roi. Et sur ses murs, des galeries de rois, des galeries d'évêques. La cathédrale affirme en effet que le salut se gagne dans l'ordre et dans la discipline sous le contrôle d'un pouvoir, ou plutôt de deux pouvoirs associés, celui de l'évêque et celui du prince. L'église épiscopale, établie, pour la régir et pour l'exploiter à la source de la richesse la plus fluide, dans la cité, affirme la connivence entre l'Église et la monarchie, l'une et l'autre réformées, restaurées.

Mais l'Église ne domine pas par les armes, elle domine par la parole. Elle enseigne des dogmes, la voie droite dont nul ne doit dévier, des règles, une éthique que chacun doit mettre en application sans hésitation ni murmure. Pour mieux persuader elle recourt à l'image. L'imagerie pédagogique se déploie donc, autour des portes de l'église épiscopale, sur trois des faces du bâtiment : au nord, au sud, aux extrémités du transept qui n'a plus de fonction, qui s'est résorbé dans l'homogénéité nouvelle de l'espace intérieur, qui ne reste présent que pour ajouter deux prédications visuelles à celle qui traditionnellement s'établit du côté de l'ouest, vers le soleil couchant, c'est-à-dire vers la part de l'univers qu'il faut à toutes forces délivrer du mal. On voit ici reparaître un théâtre immobile comme celui de Saint-Michel de Hildesheim, mais beaucoup plus vaste. La scène ne se réduit pas aux deux vantaux ; elle s'étend de part et d'autre sur les murs, dans des ouvertures largement évasées, béantes. La création tout entière est montrée là, arrachée aux dissonances, regroupée, reconduite vers le bien par un mouvement d'aspiration semblable à celui qui fait tournoyer les rosaces. La cathédrale en effet est appel. Elle émet les signes de la vraie croyance, mais pour capturer, pour s'assujettir les forces vives dont est animée cette époque de plein développement. Cette force, elle prétend la discipliner, elle veille à ce qu'elle s'applique à bon escient, au bon endroit. Les consignes que propagent ces formes et son décor sont de stabilité, d'encadrement.

Les sculpteurs qui venaient d'achever à Saint-

Denis la tâche que leur avait assignée Suger vinrent travailler au milieu du XIIe siècle au portail royal de Chartres, sur la façade occidentale d'une cathédrale que l'incendie détruisit quelques décennies plus tard. On reconnaît ici, ce qui, tout frais, vient de l'âge roman. Le thème central d'abord : c'est la vision de l'Apocalypse : Dieu victorieux des ténèbres, dans la gloire du Jugement Dernier. Pourtant le spectacle s'est nettement dégagé, déjà, de l'irréel. Au Seigneur est rendue cette humanité qu'il assuma un moment dans l'histoire. En contrebas, apparaissent les témoins de son incarnation, les figures de rois et de reines de l'Ancien Testament. Ces statues ont encore des allures de colonnes, encastrées, prisonnières de la muraille ; dans les corps, étroits, cannelés par les plis rigides de la robe qui les enserre, nul mouvement ne s'ébauche. Cependant, déjà, les visages sont frémissants, dépouillés de cette exacte symétrie qui les transportait naguère dans l'abstraction. Enfin, sur le tympan de droite, on voit, pour la première fois de manière aussi ostentatoire, mise en scène l'enfance du Christ. Un récit, ses figurants, son décor banal : un lit d'accouchée, des bergers qui ressemblent à ceux de la plaine de Beauce. La vie.

De vie regorgent à Chartres les porches du nord et du sud qui furent aménagés un demi-siècle plus tard. Les traits se sont fortement accentués par quoi s'exprime la fraternité entre Dieu et les prophètes qui ont annoncé la venue du Messie, les apôtres qui ont tout laissé pour suivre le maître, les martyrs qui ont souffert pour la vraie foi, les confesseurs qui en furent les propagateurs. On employait depuis longtemps tous les artifices de la scénographie pour rendre plus convaincants, par la mimique, par le dialogue, les récits de l'Écriture. Avant Noël, des récitants, tour à tour, tenaient le rôle d'Isaïe, de David, de Jean-Baptiste, du vieillard Siméon, d'Élisabeth, et des héros de l'Histoire Sainte, Adam, Abel, Noé. Ils défilaient devant les fidèles. Fixées dans la pierre, ces représentations sont maintenant permanentes. Sans avoir pour cela perdu leur puissance de conviction. Les statues se sont libérées du mur, elles bougent ; elles s'avancent sur le devant de l'estrade. Chacun des personnages se singularise. On peut le distinguer, non seulement à ses attributs traditionnels, à ses insignes, saint Pierre à ses clés, saint André à sa croix, saint Paul à son glaive. Ils se reconnaissent à l'expression de leur visage. Ce sont des caractères, des personnes, qui respirent, dont le regard n'est plus retourné vers l'intérieur de l'âme, ni les lèvres closes, que les passions remuent, sans leur retirer la gravité qui leur sied, cette hauteur qui les tient à distance de la foule agitée des vivants. Précédé de cette cohorte, l'homme-Dieu se tient sur le seuil à Reims, à Amiens. « Je suis la porte, a dit le Christ, et celui qui entre par moi sera sauvé. » Par une parole, enfin comprise : que les sourds entendent, que les aveugles voient. Jésus se montre dans la posture du maître, du docteur, de celui qui sait, qui enseigne. En sa personne sont célébrés la sagesse et l'art du discours. Les mots qu'il a prononcés, qu'on le voit prononcer encore, apportent la vie, celle à quoi les hommes s'éveilleront après la mort.

La mort est un sommeil. Si l'on met son espérance en Jésus, ce sommeil sera paisible. Et le réveil aussi, dans la grande aurore de la résurrection des corps. Le gothique du XIIIe siècle n'annonce plus la fin du monde de manière à faire trembler. Ce que l'an mil montrait comme un épouvantable cataclysme est, à cette époque, promis par les seigneurs de l'Église comme une délivrance, joyeuse. Les ressuscités de Reims, ceux de Bourges, ceux de Paris se lèvent de leur tombeau sereins, à gestes lents, ceux de dormeurs qui sortent délassés du repos ; les corps s'étirent, des corps jeunes, à l'âge de la plénitude, d'une beauté qui convient à la chair transfigurée. Les uns, les autres s'appellent, se retrouvent, réunis dans une communauté parfaite et qui n'aura plus de fin.

Avant que ces temps de réconciliation ne surviennent, l'essentiel est de se confier. A qui ? A l'Église. C'est-à-dire à la Vierge, image de l'Église, la Vierge Mère. Au portail royal de Chartres, on avait dressé en plein vent son effigie ; elle était encore hiératique ; repoussée hors du temps, presque aussi loin que sainte Foy de Conques, Marie était moins une personne qu'un signe, l'instrument de l'incarnation, le siège de la divinité, le trône de Dieu. Cent ans plus tard, à Reims, des statues de Marie sont partout. A la pointe, lancée comme une flèche, de tout l'ensemble inconographique, la Vierge est couronnée par son fils. Apothéose. Cette scène est la simple transposition des formules liturgiques des cérémonies de l'Assomption : « la reine s'est assise à sa droite dans un vêtement d'or ; il a posé sur sa tête une couronne de pierres précieuses ». De cette fête de couronnement, des anges souriants, qui ressemblent aux ressuscités, forment la nécessaire assistance. Un sacre. Une délégation de souveraineté.

Mais si l'on se souvient que l'Église du XIIIe siècle s'identifie à Notre-Dame, on comprend le message : le pouvoir suprême lui appartient en ce monde, jusqu'à la fin des temps. Rangée derrière le pape, derrière les archevêques et les évêques, l'Église se veut, comme l'est la Vierge sur la grande verrière de Chartres, impériale, établie, comme croyait l'être l'empereur de l'an mil, au point de jonction entre la nature et la surnature, entre le peuple des hommes et le ciel où ils entreront tous — à condition de suivre les commandements de l'Église, de marcher droit, en bon ordre, obéissants.

L'éclosion de l'art des cathédrales fut étonnamment rapide : Chartres se construisit en vingt-six ans, Reims, plus vite encore, entre 1212 et 1233. Une telle vivacité s'explique par l'élan de prospérité qui, surgissant des campagnes, emportait l'économie urbaine. Mais elle fut aussi l'effet d'un autre développement, qui n'est pas dissociable du premier, le développement de la connaissance. Toute cathédrale était flanquée d'une école. De ces écoles, les plus actives se trouvaient dans les provinces de l'art de France, de l'art gothique. Bien sûr, on étudiait aussi dans les monastères, mais le monastère était fermeture. L'école cathédrale, en même temps que l'économie marchande, s'est décontractée toujours plus durant le XIIe siècle. En effet la fonction de l'évêque est de répandre la parole de Dieu. La réforme ecclésiastique fit que cette fonction l'emporta, à ce moment, sur toutes les autres. Trop lourde dès lors pour que l'évêque pût la remplir seul. Il lui fallut des aides qui prêchent, avec lui, partout, et, pour former ces prédicateurs, des ateliers bien équipés, munis de bons livres, avec de bons maîtres qui sachent les commenter.

Puisqu'il devenait de plus en plus facile de voyager, les aventuriers de l'intelligence se précipitèrent vers les meilleures écoles. Les études ainsi se concentrèrent, et sur les lieux mêmes où s'élèvent les chefs-d'œuvre de l'art gothique, à Laon, à Chartres, à Paris qui bientôt surpassa tout. Coïncidence entre les foyers de la recherche intellectuelle et les avant-gardes de la création artistique.

Le cycle des études n'avait pas changé depuis la première renaissance de la culture antique, depuis l'époque carolingienne. Sept « arts libéraux », comme on disait : trois disciplines d'initiation : la grammaire, la rhétorique, apprentissage du discours, la dialectique, apprentissage du raisonnement ; quatre disciplines terminales, aidant à découvrir les lois mystérieuses de l'univers : arithmétique, géométrie, astronomie, musique. Ces sept voies du savoir aboutissant à la théologie, reine des sciences, par quoi l'on se risque à percer les secrets de Dieu, en interprétant ses messages, ce qu'il a dit, et d'autres signes visibles, épars dans la nature. Le prodigieux succès des écoles de Paris où se formèrent dans la seconde moitié du XIIe siècle tous les bons évêques et tous les papes, tint pour une part à l'enseignement d'Abélard. Par cet enseignement s'inaugurait une théologie fondée principalement sur la dialectique. Abélard partait du mot. Il en cherchait les significations profondes. Mais non pas, comme dans les cloîtres, en se laissant aller à la rêverie, aux associations fortuites de vocables ou d'images. Par les rigueurs du raisonnement. Or les instruments de la logique se perfectionnaient sans cesse. Des équipes de clercs avaient suivi les chevaliers qui arrachaient l'Espagne, la Sicile au pouvoir musulman ; ils s'étaient jetés sur les livres rassemblés dans les admirables bibliothèques de Tolède et de Palerme ; ils s'étaient fait traduire, fébrilement, de l'arabe en latin, ce que les Arabes avaient autrefois traduit du grec. Paris connut ces traductions. Elles dévoilaient la science des Anciens, que les Romains avaient négligée, Euclide, Ptolémée ; elles dévoilaient une pensée, elles révélaient plus séduisants que tout les traités logiques d'Aristote. La méthode s'affirma. Abélard place à l'orée de l'investigation le doute : « Nous venons à la recherche en doutant, et par la recherche nous percevons la vérité. » Orgueil, présomption — il ne manqua pas d'hommes qui s'effrayèrent d'une telle attitude, qui la condamnèrent violemment, tel saint Bernard qui finit par terrasser Abélard. Elle suscitait du moins l'enthousiasme parmi des étudiants très savants, dont l'exercice principal n'était plus la leçon, mais la discussion. Discuter, débattre : « Mes étudiants, disait encore Abélard, réclamaient des raisons humaines ; il leur fallait des explications intelligibles plus que des affirmations. Ils disaient qu'il est inutile de parler si l'on ne donne pas l'intelligence de ses propos, et que nul ne peut croire s'il n'a pas d'abord compris. » Toute notre science est sortie de là.

Nous conservons le règlement d'un collège parisien, le collège de Hubant. Ce livre — tardif, il date du XIVe siècle — est rempli d'images qui font apercevoir ce qu'était alors l'école. Une équipe, une escouade disciplinée, dirigée par un capitaine, le maître. De jeunes hommes qui tous sont d'Église, tondus, portant le vêtement clérical ; ils vivent en commun, mangent ensemble, comme des moines — et le maître est comme leur abbé. Tous leurs gestes, ne l'oublions pas, étaient des gestes de prêtres. Les exercices proprement scolaires alternaient avec la méditation et la pratique liturgique. L'étude se mêlait à la prière, elle ne s'en distinguait point ; elle était une autre manière de servir Dieu. Toutefois, parmi les rites d'oraison, de procession, deux autres se glissent, révélant ce qui distingue l'école du monastère : l'ouverture au monde ; c'est le soin pris des malheureux, dont la ville regorge, c'est-à-dire la pratique de la charité évangélique ; c'est la main tendue à ceux qui détiennent la richesse et la puissance, mais à qui le savoir doit être transmis et l'exemple montré, c'est-à-dire l'apprentissage de la prédication.

De semblables écoles est sorti l'esprit dont l'esthétique de la cathédrale est animée. Tout : le symbolisme de la lumière, le sens de l'incarnation, le concept de la mort paisible et cette inclination progressive à observer de près la réalité des choses, à la transcrire, lucidement, dans l'œuvre figurée. De telles écoles sont aussi venus les progrès de la technique du bâtiment, une science de l'équilibre qui permit, en 1180, par le recours aux arcs-boutants d'élever d'un coup, une fois et demie plus haut qu'on ne l'avait jamais fait, le chœur de Notre-Dame de Paris, et, par le calcul, l'équerre, le compas, d'évider les murs toujours davantage, de mieux dompter le matériau, de vaincre la pesanteur. Au XIIIe siècle apparaissent les premiers architectes, fiers d'eux-mêmes, signant leur œuvre de leur nom, respectés ; comme les maîtres des écoles, ils se disent docteurs, docteurs ès pierres. On saisit, dans le carnet de l'un d'entre eux, Villard de Honnecourt, ce que leur art souverain devait aux exercices du « trivium » et du « quadrivium ». C'est la raison qui conçoit la cathédrale, qui fait s'y coordonner en ensembles des séries d'éléments discrets. Cette logique se fait de plus en plus rigoureuse et l'édifice de plus en plus abstrait. Et puisque l'architecte est également maître de l'ouvrage décoratif, puisqu'il établit le programme qu'exécutent les tailleurs d'images, il traite volontiers la nature, comme Cézanne voulut le faire, par le carré et par le cercle ; il la réduit à des formes raisonnables. Le dessein du Créateur n'était-il pas lui-même construit selon la raison ? Ne faut-il pas chercher à retrouver, sous le foisonnement désordonné qui les masque, les schémas géométriques du plan directeur, si l'on veut figurer tous les êtres, animés ou non, les hommes, tels qu'ils devraient être, tels qu'ils étaient à l'origine, tels qu'ils redeviendront lorsque auront pris fin les perturbations de l'histoire. Toutefois, l'école apprenait aussi à ouvrir les yeux. Les intellectuels de ce temps ne vivaient pas enfermés dans des chambres, mais parmi les prés, les vergers, et le naturel, dans sa fraîcheur et sa diversité, œuvre de Dieu, leur semblait de moins en moins haïssable. L'attention prêtée au réel fut transmise aux bâtisseurs des cathédrales. C'est elle qui fait peu à peu monter la sève le long des fûts de Notre-Dame de Paris, jusqu'aux chapiteaux, jusqu'à leur couronne végétale : cette flore, dans le chœur achevé en 1170, était encore inventée ; dix ans plus tard, dans la nef, elle prend vie, et l'on commence à pouvoir reconnaître à son feuillage, dans sa vérité, chaque espèce de plantes.

On ne comprendrait pas cet art si l'on ne faisait enfin la part de ce qu'il doit à la croisade, aux voyages d'outre-mer, toujours recommencés dans l'espoir toujours déçu de reconquérir le tombeau du Christ retombé au pouvoir des mécréants. Devant ceux-ci c'était l'échec. Les chrétiens orientaux, réputés schismatiques, furent du moins vaincus, et Constantinople conquise en 1204. Cette cité splendide débordait de trésors. Le pillage fut superbe, inoubliable. Avec l'or et les femmes, on rafla les reliques ; cette ville sainte en était pleine ; des reliques de la Passion, et les coffres qui les contenaient historiés, couverts d'images. Ce butin mirifique accentua brusquement la tendance qui depuis plus d'un siècle inclinait les chrétiens d'Occident à méditer sur la vie terrestre du Christ. Ils découvraient des expressions que les artistes byzantins, fertiles, avaient su rendre de la tendresse et de la souffrance. A Chartres, les sculptures postérieures au sac de Constantinople, ne montrent plus le Christ du Jugement comme un souverain glorieux, mais comme un homme dépouillé, exposant ses plaies, entouré des instruments de son supplice. Reims place au-dessus de toute la représentation le crucifix. Le corps de celui-ci sur le carnet de Villard de Honnecourt, s'abat, tordu, lorsqu'il est décloué, et les gestes que font les saintes femmes pour déplorer sa mort viennent en droite ligne de Byzance un moment soumise. Quelques décennies seulement séparent cette image poignante des arcatures dénudées de Sénanque et du Thoronet : l'histoire, et notamment l'histoire de la spiritualité chrétienne, allait alors très vite.

Entre-temps, un tournant capital avait été pris. Un pape intelligent, Innocent III, avait compris que pour répondre à l'attente du peuple fidèle, avide d'un enseignement simple, tourmenté par son enrichissement et qui rêvait d'échapper à la corruption de l'argent, pour désarmer aussi l'hérésie foisonnante, envahissante, il fallait laisser faire deux jeunes gens. Ils étaient suspects : prétendant aller directement au peuple, se voulant totalement pauvres, partant, avec leurs disciples, pieds nus, vêtus d'un sac, comme les disciples de Jésus, parlant dans le langage vulgaire que les indigents peuvent comprendre. Ces deux hommes, saint Dominique et saint François, représentaient tout le renouveau du monde : le premier venait d'une école cathédrale, celle de Burgo de Osma, en Espagne, l'autre, d'une ville marchande, Assise, en Italie.

Giotto, un siècle après la mort de François, a illustré la vie du « petit pauvre ». Il exécutait une commande de la curie romaine, il a donc évidemment déformé, manipulé le souvenir pour les besoins d'une propagande, mais pas trop. Jeune, François était immensément riche; son père trafiquant de draperies; il reçut l'éducation d'un chevalier, lyrique, et s'éprit de courtoisie, de chansons. Tout à coup il entendit le Crucifié lui parler, lui dire de reconstruire l'Église et pour cela de tout renoncer. Ici se place la scène dramatique : en pleine ville d'Assise, sur la grand-place, devant les patriciens drapés dans leurs atours et leur orgueil, François se mit nu ; il s'enveloppa dans le manteau de son évêque, affirmant par ce geste que, lui, ne déviait pas, qu'il n'était pas, comme tant d'adeptes de la pauvreté, un hérétique, adversaire du clergé, qu'il restait soumis à l'autorité ecclésiastique. Innocent III le voit en rêve, épaulant l'Église qui croule. Il autorise à prêcher l'Évangile cet homme qui n'est pas un savant, qui n'est pas prêtre, qui ne se soucie pas de le devenir, qui converse avec les oiseaux, étendant son chant de louange à la nature entière, la disant bonne elle aussi puisqu'elle sort des mains de Dieu. La parole semée dans les villes d'Ombrie et de Toscane par François et les amis qui le suivirent invitait cependant à la pénitence, à vivre comme avait vécu Jésus, à l'imiter — et François poussa si loin ce mimétisme qu'il en vint à porter sur son corps les stigmates de la Passion. Lorsqu'il mourut, décharné, pleuré par ses frères en pauvreté, par sa sœur sainte Claire, à la manière dont était pleuré le Christ mort dans les fresques byzantines, tout le monde le tenait pour un saint, beaucoup pour un nouveau Jésus. L'Église, la main forcée, dut l'honorer comme tel, en s'efforçant autant qu'elle pouvait de désamorcer ce qu'il y avait de contestation radicale de ses prétentions temporelles dans le message lancé par ce fou de Dieu.

Dominique fut moins hautement célébré. Non que son action ait été moins profonde. La congrégation qu'il fonda, une fraternité de pauvres elle aussi, l'ordre des Prêcheurs, était vouée à parler ; elle s'attela d'abord à déraciner l'hérésie cathare ; elle fournit à l'Église romaine l'armature dogmatique dont elle manquait encore et qui assura effectivement son triomphe sur les sectes hérétiques : le héros de la théologie catholique, Thomas d'Aquin, ne fut-il pas dominicain ? Mais les dominicains étaient des intellectuels, des gens d'école, raisonneurs ; ils s'adressaient à l'entendement. Les franciscains, eux, appelaient à la compassion et à la joie parfaite qu'elle procure. Touchant directement la sensibilité des humbles, ils reçurent une adhésion plus massive. Mais les uns et les autres, les dominicains et les franciscains, frères mendiants qui ne voulaient rien posséder, firent ensemble dans le cours du XIIIe siècle du christianisme ce qu'il n'avait jamais été : une religion populaire. Je serais prêt à le dire : ce qui reste aujourd'hui parmi nous de chrétien vient de ce relais, pris au moment décisif, au temps où l'on reconstruisait la cathédrale de Chartres : la parole et l'exemple de François d'Assise.

La fête de la chevalerie d'Édouard, prince de Galles, 1306.

« En vue de renforcer son armée contre l'Écosse, le roi fit proclamer à travers l'Angleterre que tous les hommes tenus par succession paternelle de devenir chevaliers et astreints en conséquence au service d'ost vinssent à Westminster pour la fête de la Pentecôte, où ils recevraient chacun de la garde-robe royale tout leur équipement militaire, à l'exception de leurs montures. Trois cents jeunes gens furent ainsi rassemblés, fils de comtes, de barons et de chevaliers. Ils reçurent des étoffes pourpres, des tissus de qualité, des robes tissées d'or, qui furent distribués à chacun selon son rang avec une grande libéralité. En dépit de ses dimensions, le palais royal était trop petit pour contenir la foule des arrivants : aussi, près du nouveau Temple de Londres, on coupa les arbres fruitiers, on abattit les murs et on dressa des pavillons et des tentes, où les futurs chevaliers purent se parer de leurs vêtements dorés. Dans la mesure où ce lieu put les accueillir, c'est là qu'ils firent, pendant la nuit, leur veillée d'armes.

« Mais le prince de Galles, par ordre du roi son père, passa la sienne, avec quelques compagnons de choix, dans l'église de Westminster. Là, les clameurs des trompes et des trompettes, les cris de joie de l'assistance furent tels qu'un chœur ne pouvait faire entendre à l'autre ses cantiques.

« Le lendemain, le roi remit à son fils le baudrier de chevalier dans son palais et lui donna le duché d'Aquitaine. Une fois fait chevalier, le prince se rendit à l'église de Westminster pour parer à son tour ses compagnons de la gloire de la chevalerie. Or, il y eut une telle presse devant le grand autel que deux chevaliers moururent et que plusieurs s'évanouirent ; il faut dire que chaque futur chevalier était guidé et protégé par trois chevaliers au moins.

« A cause de cette presse, le prince ne ceignit pas ses compagnons au pied du grand autel mais sur le grand autel, après avoir divisé la foule grâce à de fougueux destriers. »

« *Flores Historiarum.* »

Au printemps 1210, l'assaut de Bram par Simon de Montfort.

« Ils parvinrent au castrum de Bram, l'assiégèrent, et le prirent d'assaut en moins de trois jours, sans utiliser de machines. Aux hommes du castrum, qui étaient plus de cent, ils crevèrent les yeux et coupèrent le nez, mais laissant un œil à l'un d'entre eux pour qu'il conduisît les autres à Cabaret... »

« *Hystoria albigensis* »
de Pierre des Vaux de Cernay.

Le sort des hérétiques, à Castres, en septembre 1209.

« Nous ne voulons pas oublier un miracle qui se produisit dans ce castrum en présence du comte. On lui présenta deux hérétiques : l'un des deux était parfait de la secte, l'autre n'était encore que son novice ou son disciple. Après avoir tenu conseil, le comte voulut les faire brûler tous les deux. Mais le deuxième hérétique, celui qui paraissait être le disciple de l'autre..., commença à se repentir et promit d'abjurer l'hérésie et d'obéir en tout à l'Église romaine. Sur ce, une grande discussion commença à s'élever entre les nôtres : il y en avait qui disaient qu'on ne devait pas le condamner à mort..., il y en avait d'autres au contraire qui affirmaient qu'il fallait qu'il meure, parce qu'il était manifeste qu'il était hérétique et qu'on pouvait penser que ses promesses étaient dictées par la crainte d'une mort imminente plutôt que par amour pour la religion chrétienne. Quoi de plus ? Le comte fut d'accord pour qu'il soit brûlé, pour la raison que, s'il se repentait vraiment, le feu lui ferait expier ses péchés, et que s'il avait menti, il aurait le châtiment de sa perfidie. Ils furent donc tous les deux attachés solidement par des liens durs et solides, autour des cuisses, du ventre et du cou, les mains attachées derrière le dos. Ceci fait, on demanda à celui qui semblait s'être repenti dans quelle foi il voulait mourir ; il répondit : « J'abjure la dépravation hérétique, je veux mourir dans la foi de la sainte Église romaine, je prie que ce feu me serve de purgatoire. » On alluma donc un grand feu autour d'un poteau. Celui qui était parfait dans l'hérésie fut consumé en un instant ; l'autre sortit du feu indemne, ses liens très solides s'étant immédiatement brisés, sans la moindre trace de brûlure sauf un peu au bout des doigts. »

« *Hystoria albigensis* »
de Pierre des Vaux de Cernay.

« On fit sortir du castrum Aimeric, qui avait été seigneur de Montréal, et environ quatre-vingts autres chevaliers. Le noble comte proposa qu'ils soient tous pendus; mais lorsque Aimeric, qui était plus grand que les autres, fut pendu, les fourches se brisèrent parce qu'elles n'avaient été bien fixées en terre, à cause de trop de précipitation. Le comte, en voyant quel grand retard il en résulterait, ordonna de tuer les autres. Les pèlerins s'en saisirent avec une grande avidité, et les tuèrent en cet endroit au plus vite. On jeta dans un puits la dame du castrum, qui était la sœur d'Aimeric et la pire des hérétiques, et le comte la fit couvrir de pierres. Nos pèlerins brûlèrent d'innombrables hérétiques avec une immense joie. »

« *Hystoria albigensis* »
de Pierre des Vaux de Cernay.

« Nous trouvâmes là *(Morlhon près de Rodez)* sept hérétiques de la secte des vaudois; on les conduisit aussitôt au légat, ils confessèrent leur incroyance en toute clarté, et nos pèlerins s'en emparèrent et les brûlèrent avec une immense joie. »

« *Hystoria albigensis* »
de Pierre des Vaux de Cernay.

« Aucun croyant des hérétiques, même réconcilié, ne peut être prévôt, baile, juge, assesseur en justice, témoin, avocat, ni aucun juif, sauf qu'un juif peut porter témoignage contre un autre juif *(article 14)*. Aucun hérétique vêtu réconcilié n'a le droit de rester dans le village où il a professé l'hérésie *(article 15)*.

Statuts de Pamiers, 1212.

« Aucune veuve, aucune héritière, noble, ayant des castra et des fortifications, ne peut se marier avec un indigène de cette terre d'ici dix ans, sans l'autorisation du comte. Mais elles peuvent se marier avec les Français qu'elles veulent, sans requérir le consentement du comte ou de quelqu'un d'autre. Mais, passés dix ans, elles pourront se marier normalement. »

Statuts de Pamiers, 1212.

« ... Il arriva l'hiver suivant (en 1219-1220) que Foucaud et son frère Jean et de nombreux autres chevaliers allèrent de nouveau courir au butin et en prirent beaucoup. Le fils du comte de Toulouse leur courut sus, les vainquit, les prit tous, et fit apporter à Toulouse, en offrande bienvenue, la tête coupée de ces frères, placées en spectacle sur des pals. Cela fut attribué à la justice divine, car ce Foucaud était un homme très cruel et orgueilleux. On disait que chez lui, il avait ordonné que tout homme capturé à la guerre serait tué, à moins de donner cent sous. Il torturait de faim ses prisonniers dans des cachots souterrains, et de temps en temps il les faisait sortir, morts ou à demi vivants, pour les jeter sur le fumier. On raconta et on dit encore que la dernière fois où il fit du butin il fit pendre deux malheureux, un père et son fils, qu'il tenait prisonniers, et qu'il força le père à pendre son fils... On ne peut dire combien de choses immondes se faisaient dans sa maison. Car la plupart avaient et tenaient publiquement des concubines, et certains prenaient les épouses des autres. Tout cela et davantage se faisait impunément. Car ils ne s'occupaient pas de ce pour quoi ils étaient venus... et le Seigneur se mit à les vomir et à les chasser de cette terre qu'ils avaient acquise avec son aide. »

« *Chronique* »
de Guillaume de Puylaurens.

Le sort des hérétiques, à Minerve, en juillet 1210.

« ... L'abbé ordonna donc que le seigneur du castrum et tous ceux qui étaient à l'intérieur, même les croyants des hérétiques, en sortent à condition qu'ils veuillent être réconciliés et se tenir à la disposition de l'Église, et laissent le castrum au comte; même les parfaits hérétiques, dont il y avait là une foule nombreuse, sortiraient s'ils voulaient se convertir à la foi catholique. A ces mots, un noble tout à la foi catholique, Robert Mauvoisin, entendant que les hérétiques, pour la perte de qui étaient venus les pèlerins, seraient libérés, craignant que la crainte ne les amène à promettre d'accomplir ce que les nôtres voulaient, vu qu'ils étaient déjà captifs, s'opposa à l'abbé. Il dit que les nôtres ne le suivraient en aucune manière; à quoi l'abbé répondit : « Ne craignez rien, je crois que très peu se convertiront. » Après avoir dit ceci, les nôtres, précédés de la croix et suivis de la bannière du comte, entrent dans la ville en chantant le *Te deum laudamus,* vont à l'église; après l'avoir reconciliée, ils placent la croix du Seigneur au sommet de la tour, et mettent ailleurs la bannière du comte : le Christ avait pris la ville et il était juste que sa bannière soit en avant et placée au lieu le plus élevé, témoignant de la victoire chrétienne. Le comte n'entre pas encore.

« Cela fait, le vénérable abbé des Vaux de Cernay qui était au siège avec le comte et s'occupait de l'affaire de Jésus-Christ avec un zèle unique, entendant qu'il y avait une foule d'hérétiques rassemblés dans une demeure, s'y rend en proférant des mots de paix et des paroles de salut, désireux de les convertir au bien; lesquels interrompent ses paroles et disent tous d'une même voix : « Que nous prêchez-vous? Nous refusons votre foi. Nous rejetons l'Église romaine. Vous travaillez en vain. Nous tenons à une secte dont ni la mort ni la vie ne pourrait nous arracher. » A ces mots, le vénérable abbé sort tout de suite de la demeure et arrive chez des femmes qui étaient rassemblées dans une autre maison, pour leur apporter la parole de prédication. Mais lui qui avait trouvé les hommes hérétiques durs et obstinés, trouve les femmes encore plus dures et plus profondément obstinées. Ensuite notre comte entre dans le castrum, et en homme catholique qui voulait que tous soient sauvés et accèdent à la connaissance de la vérité, il vient là où les hérétiques étaient rassemblés et commence à leur dire de se convertir à la foi catholique; mais comme absolument rien ne se passait, il les fit emmener en dehors du castrum; ils étaient cent quarante hérétiques parfaits, ou plus. Après avoir fait préparer un immense feu, on les y jette tous; et cependant il ne fut pas nécessaire aux nôtres de les y jeter, parce que, obstinés dans leur erreur, tous s'y précipitaient d'eux-mêmes. Trois femmes seulement échappent, qu'une noble dame, mère de Bouchard de Marly, sauve du feu et réconcilie avec l'Église. »

« *Hystoria albigensis* »
de Pierre des Vaux de Cernay.

« Il y avait dedans une pierrière, que fit un charpentier.
La pierrière est traînée de Saint-Sernin au plancher *(en haut des remparts)*
Et la tiraient des dames, des jeunes filles et des femmes.
Et vint tout droit la pierre là où on en avait besoin,
Et frappa si fort le comte, sur son heaume qui est d'acier,
Que les yeux, la cervelle, les dents du haut
Le front et la mâchoire lui mit en morceaux;
Et le comte tomba à terre, mort, en sang, et noir *(205, v. 122-129)*. »

« *La Chanson de la croisade albigeoise.* »

Le royaume

Notre-Dame de Paris s'achève au milieu du XIIIe siècle. Sa reconstruction avait commencé en 1163 : Suger et saint Bernard venaient alors de mourir. Vers 1250, Pierre de Montereau décide de supprimer presque totalement les murs du transept, de placer là deux rosaces, immenses, affirmant devant l'hérésie toujours virulante que la création rayonne depuis cet unique foyer, le Dieu lumière, affirmant devant les philosophes l'identité de l'univers concentrique d'Aristote et des effusions circulaires que découvrait la théologie scolastique. Ce monument est un admirable témoin de ce qui se transforma durant ce siècle. Il atteste les prodigieuses conquêtes intellectuelles dont furent le lieu les écoles qui se pressaient autour de lui, peu à peu rassemblées dans ce très puissant syndicat scientifique que l'on nomma l'université. Il atteste le prodigieux enrichissement des villes : combien coûta ce bâtiment, combien de millions de ces piécettes d'argent qui servaient à acheter le pain ? Et certains se demandant : fallait-il l'élever si superbe ? N'était-ce pas contredire l'enseignement de l'Évangile, insulter la misère des travailleurs des faubourgs ? Il atteste enfin le renforcement de la monarchie : sans les largesses des rois, sans l'argent que drainait l'impôt royal, l'eût-on jamais édifié ?

Monarchie : les princes du XIIIe siècle ont jugulé la turbulence féodale, ressaisi dans leurs mains le pouvoir. De la sorte ont repris consistance des formations politiques qui n'existaient plus depuis l'an mil que dans l'imaginaire. De ces princes, les tombeaux commencent à montrer les visages. On les voit couchés comme ils l'étaient sur le lit de la parade funèbre, dormant, l'esprit baigné des prières qu'ils viennent de suivre sur leur livre. Les attributs de leur fonction les désignent : l'épée du combat contre le mal, le sceptre de la justice, la couronne qui vient de Dieu. Voici, près d'Aliénor, à Fontevrault, Henri Plantagenêt, comte d'Anjou par son père, duc de Normandie par sa mère, roi d'Angleterre par la victoire des armes et par le sacre. Voici, toutes prêtes à être redressées, à prendre place dans la galerie haute des cathédrales, les statues de tous les rois de France, les ancêtres de trois dynasties successives, que Saint Louis, leur rejeton, fit aligner en bon ordre dans le chœur de Saint-Denis.

Ce fut Saint Louis qui, dans Paris, capitale du royaume capétien, réalisa en sa plénitude, alors que l'on terminait les façades de Notre-Dame, l'idée que le Moyen Âge se fit de la royauté. Pas plus que de saint Bernard, de Dominique, de Thomas d'Aquin, nous n'avons de lui de portrait véridique. Mais il revit dans la saisissante biographie qu'écrivit son ami Joinville, très vieux, dictant ses souvenirs, trente ans après la mort du souverain. Sur le plus bel exemplaire de ces mémoires, qui date du XIVe siècle, des peintures montrent Saint Louis tel que l'on voulut le donner en exemple à ses descendants. Dûment formé tout enfant, sous la férule impérieuse de sa mère, à la lecture constante de l'Écriture, il a, comme Jésus, visité les pauvres, il les a nourris de sa main, par le geste même du prêtre lorsqu'il distribue l'hostie — douze pauvres, et c'était la Sainte Cène que le roi mimait jour après jour. Il s'est risqué sur la mer, affrontant le danger. Il a « mis son corps en aventure », comme dit Joinville, à la tête des derniers croisés, menant obstinément la lutte de Dieu contre les infidèles. Victorieux d'abord, puis vaincu, prisonnier comme saint Pierre l'avait été, il partit, dès qu'il fut délivré, visiter l'un après l'autre tous les lieux saints de la Palestine. N'était-il pas, comme les empereurs de l'an mil, le lieutenant du Christ, son image. Tenu de dialoguer avec lui. C'est pour cela qu'il fit bâtir la Sainte-Chapelle dans son palais de la cité, à Paris. Il avait acquis très cher à Constantinople la couronne d'épines. Relique insigne : cet instrument de la souffrance de Dieu signifiait clairement ce qui lie le divin à la monarchie. « Le roi Saint Louis, dit un chroniqueur, avait la couronne d'épines de Notre-Seigneur Jésus-Christ et un grand morceau de la Sainte Croix où Dieu fut mis, et la lance par quoi le côté de Notre-Seigneur fut percé. Pour ces reliques il fit faire la Sainte-Chapelle de Paris, en laquelle il dépensa bien quarante mille livres tournois et plus (gigantesque dépense : on la mesure si l'on se souvient que tout le comté de Mâcon, en 1239, n'avait coûté que dix mille livres). Il orna d'or et d'argent et de pierres précieuses et d'autres joyaux les lieux et la châsse où les Saintes Reliques reposaient et l'on croit que ces ornements valaient bien cent mille livres et plus (dix fois la valeur d'une province). »

Le geste royal est toujours le même : donner, à pleines mains. C'est le geste de Charlemagne. Comme pour Charlemagne, une chapelle. Elle n'est pas ronde : la cathédrale, dont les formes ont tout subjugué, lui a imposé son plan. Mais comme celle d'Aix, elle a deux étages. Dans l'inférieur les gens de la maison royale sont cantonnés ; au-dessus d'eux plus près du ciel, baignant dans la lumière, transfiguré, le roi Louis, face à la couronne de la Passion, médite sur le destin du Christ-Roi, qui souffrit, qui fut flagellé, souffleté. Et peu à peu, à mesure que sa vie s'avance, regardant son échec en Égypte comme la preuve de ses imperfections, soucieux de les corriger, ce grand garçon qui jadis aimait à rire, qui voulait que tous autour de lui fussent bien vêtus, joyeux, ne s'entoura plus que de franciscains et qui lui parlaient d'abstinence. Il renonça, il s'abaissa. Il s'agenouilla devant le Crucifié, lui qui ne s'agenouillait devant personne, lui devant qui le roi d'Angleterre s'agenouillait lorsqu'il venait lui rendre hommage. Enfin Louis IX décida de gagner de nouveau l'Orient, malgré ses amis qui renâclaient. Il entendait, comme son maître, sacrifier sa vie. Il mourut martyr à Tunis en 1270, aussitôt salué comme un saint.

Pourtant nullement bigot, papelard. Les valeurs auxquelles se réfère le roi de France, je les vois incarnées dans une statue équestre, sculptée dans la jeunesse de Saint Louis, celle du saint Georges de la cathédrale de Bamberg. C'est un rejet de la statuaire de Reims, acclimatée en

Franconie par l'évêque Egbert, beau-frère du roi Philippe de France. Le héros cavalier, comme les gisants de Saint-Denis, est à l'âge de l'accomplissement, à l'âge où le fils aîné prend le pouvoir des mains de son père défunt, assume la responsabilité du patrimoine ancestral et la conduite du lignage. Viril, porte-étendard d'une culture encore tout entière gouvernée par les hommes de guerre, dont les valeurs maîtresses sont masculines, de force, de courage et de loyauté, il s'apprête à conquérir le monde. Résolu, fidèle — inquiet et confiant à la fois, assez lucide pour se savoir pécheur, s'abandonnant pourtant à l'infinie miséricorde divine. Saint Georges est le patron des chevaliers. Le modèle par conséquent du roi Saint Louis qui voulut porter à leur perfection les vertus chevaleresques, qui parvint à museler la féodalité dans la mesure même où il surpassait les meilleurs de ses vassaux par sa largesse et par ses prouesses. Mais Louis IX entendit bien exercer pleinement la délégation de puissance qu'il avait reçue dans la cathédrale de Reims le jour de son sacre. Il enseigna aux rois de France, ses descendants, à siéger seuls pour dire le droit, au sommet d'une pyramide hiérarchique. Leurs enfants, d'abord, sous eux, les princes des fleurs de lys, dociles ; plus bas, les pairs du royaume, les évêques à droite, les féodaux domptés à gauche ; enfin, surplombé par les gens de loi, de guerre et de finance, serviteurs très efficaces de l'État, le commun peuple, dont le souverain est le garant devant Dieu. Pouvoir d'un seul dans le ciel, pouvoir d'un seul sur la terre : les structures du visible et de l'invisible ne sont-elles pas emboîtées ; le roi sacré ne tient-il pas en ce monde la place exacte qu'occupe au Paradis le

Christ, source de toute autorité et de toute justice ? Parce qu'il en était persuadé, Saint Louis, aussi loin qu'il s'avançât vers le mysticisme, ne s'inclina jamais devant les prétentions des prêtres : il tint tête respectueusement, solidement, à cet autre monarque qui lui faisait face : le pape.

Au XIIIe siècle, l'évêque de Rome, entouré de ses cardinaux, domine tous les autres évêques. En 1250, à la mort de Frédéric II, il a tout fait pour annuler l'empire. Successeur de saint Pierre, héritier de Constantin, le pape prétend à la puissance universelle ; il se dit juge suprême de tous les princes de la terre ; il étend sur eux son pouvoir de toutes les manières, par les liens notamment de l'hommage et du fief. Couronné lui aussi, non pas d'une seule couronne, mais de trois qui se superposent orgueilleusement sur la tiare, c'est le chef incontesté de cette formation politique qu'est devenue l'Église, très robuste, étayée par un code, une hiérarchie de tribunaux, par des agents partout répandus et de forte culture, un système fiscal qui rend de mieux en mieux, par le réseau de paroisses quadrillant toute la chrétienté et fournissant le moyen de contrôler chaque habitant de ces cellules par la confession rendue obligatoire chaque année ; enfin, par deux milices, qui dépistent les déviations, imposent par la prédication le modèle d'un comportement uniforme, l'ordre des dominicains, l'ordre des franciscains, contraints les uns et les autres à la docilité.

C'est à Assise que se mesurent dans toute leur envergure les ambitions pontificales. Saint François était mort dans le dépouillement total. Rome entendit asservir à son projet de domination temporelle cet homme qui avait eu la force et le courage de reprendre les paroles simples, les paroles nues de l'Évangile, et d'y conformer pleinement sa vie. Sur sa tombe, Rome accumula, somptueusement, tous les emblèmes de la puissance. Hautaine, la basilique s'étale comme un palais, gothique dans sa structure, à la manière de France. Point de sculpture cependant, ni de vitrail. Des murs, sur ces murs des fresques, et les plus grands peintres du monde, Cavallini, Cimabue, Simone Martini, les frères Lorenzetti, Giotto, travaillant, réunis, à traduire en images les principes d'une idéologie forgée par la curie romaine. Une immense prison, superbe : l'esprit de pauvreté s'y trouve en quelque sorte incarcéré, volontairement étouffé sous un amas de parures éblouissantes.

Toutefois, à l'heure où l'on achevait de monter dans la basilique d'Assise le grand spectacle de l'autorité catholique, la papauté avait fini par glisser tout à fait sous le protectorat du roi de France. Après de violents affrontements, la cour pontificale avait dû céder, quitter Rome, l'Italie, transférer son siège, non pas dans le royaume même, mais à sa frontière, sur la rive gauche du Rhône, dans Avignon. De part et d'autre du grand fleuve, qui vint à bout du pont démesuré qu'on avait réussi à jeter entre ses berges, se dressent deux forteresses : celle du gardien, à Villeneuve, la tour de Philippe le Bel, puis, bientôt, le grand château moderne, le fort Saint-André, vigilant. Celle du pape, le palais d'Avignon, planté dans le roc, saisissant symbole de l'incrustation, de l'enfoncement du spirituel dans le temporel. Cette bâtisse est austère, bien sûr : dans la partie la plus ancienne de son intérieur, elle montre le renoncement d'un cloître cistercien. Mais elle proclame de toutes parts, extérieurement, par son hérissement, par ses créneaux, la volonté de dominer. Soigneusement fermée sur elle-même, un repaire, une chambre-forte où, par d'étroites fissures, l'or vient s'amonceler, capturé par la fiscalité tenace sur quoi repose l'empire des cardinaux. Une puissance d'argent, scandaleuse. Tout un pan de la congrégation franciscaine qui regimbe et, fidèle à l'esprit de son fondateur, dérive vers la contestation hérétique. Par la « captivité de Babylone », par les rapacités de la cour pontificale, le malaise s'aggrava qui, depuis quelque temps, tenait la chrétienté.

Entre le moment où furent montées les verrières de la Sainte-Chapelle et celui où les fresques d'Assise furent peintes, et plus vivement pendant les années soixante, soixante-dix du XIIIe siècle, la conscience des intellectuels d'Europe fut ébranlée. Ils reçurent alors ce qui n'était pas encore traduit de l'œuvre d'Aristote, la Physique, la Métaphysique, qu'accompagnaient les commentaires des penseurs arabes. Ils découvrirent alors, admirablement cohérente, une explication globale de l'univers qui contredisait la doctrine chrétienne. Elle affirmait l'éternité du monde : elle niait la création; elle refusait à l'homme toute liberté : elle niait l'incarnation, la rédemption. Elle niait tout. En 1255, le pape Alexandre sollicita d'Albert le Grand, maître parisien, une réfutation de cette philosophie. Deux ans plus tard, il installa dans l'Université de Paris pour y enseigner la théologie un dominicain, Thomas d'Aquin, un franciscain, Bonaventure, Italiens tous deux. Thomas édifia sur une pointe d'aiguille, dans l'intention de concilier le dogme et la raison, une construction dialectique étourdissante. Vertigineuse. Inquiétante : en 1277, l'évêque de Paris condamnait certaines propositions de ce système. Fallait-il se résoudre au partage, cantonner le christianisme dans la voie mystique, dans l'irrationnel — ce fut le parti que prit Bonaventure — admettre l'autonomie d'une province de la réflexion et de l'action, libérée du dogmatisme et qui ne dépendrait que de l'expérience, de la logique ? Fallait-il admettre la relativité de la pensée chrétienne ?

Or, à ce moment même, la relativité de l'histoire chrétienne se découvrait aussi. La croisade avait échoué. Saint Louis était mort à Tunis, les Grecs avaient repris Constantinople. La Terre Sainte fut définitivement perdue, lorsque tomba Saint-Jean-d'Acre en 1291. Il était vain d'espérer venir à bout par les armes des infidèles. Ne valait-il pas mieux, comme déjà l'avait fait saint François, aller vers eux, les mains nues, parler, prêcher ? Substituer aux croisés les missionnaires ? Et lever les interdits qui empêchaient les marchands de trafiquer tout à fait à leur aise et de saisir les richesses de l'Orient ? La chrétienté s'apercevait qu'elle n'était qu'une petite partie de la terre, que celle-ci est immense. De la Méditerranée, les marins de Pise, de Gênes, de Marseille, de Barcelone, étaient devenus les maîtres. Ils en avaient reconnu tous les détroits, tous les rivages ; sur des navires de plus en plus vastes, de mieux en mieux gouvernés, ils osaient maintenant la traverser de part en part. Ils apprenaient à dresser de la mer intérieure des cartes précises. Sur les portulans, l'arrière-pays sort peu à peu du rêve. On y voit représentés, au sud, à l'est, des peuples nus, des cannibales.

Mais également des royaumes solides, des souverains sages, dans ces régions d'où jadis les trois rois mages étaient partis suivant l'Étoile, d'où parvenaient aujourd'hui, apportées régulièrement par caravanes chamelières, des denrées merveilleuses. On s'étonnait d'apprendre qu'il existait au bout du monde d'autres chrétiens. Était-il impossible de convertir dans le dos de l'Islam tant de tribus pullulantes, qui ne savaient rien encore du vrai Dieu, mais qui ne semblaient pas en adorer un autre ? Des prêcheurs déjà s'enfonçaient dans les profondeurs de l'Asie. Déjà des négociants se risquaient à remonter les pistes jusqu'aux sources de l'encens, du poivre et des brocarts.

En 1271, Marco Polo, un Vénitien, se lance à son tour dans la grande aventure. Il accompagne deux de ses oncles ; le pape leur a remis des lettres pour les souverains mongols ; ils prennent la route de la soie. A travers les montagnes du Turkestan, parmi les peuples pasteurs, ils rencontrent en effet des communautés nestoriennes, implantées là depuis des siècles et que nul ne persécute. Ils arrivent à Pékin dans l'hiver 1275. Le Khan mongol les prend en amitié, les charge de missions dans son empire, ils parcourent l'Extrême-Orient jusqu'en 1292 ; ils s'en reviennent par l'Indonésie, la Perse, Trébizonde. De retour, Marco Polo relate son étonnant périple. « Seigneurs, empereurs et rois, ducs et marquis, comtes, chevaliers et bourgeois, vous tous qui voulez connaître les diverses races d'hommes et la variété des régions du monde, être informés de leurs us et coutumes, prenez donc ce livre et faites-le lire. » Livre « Des merveilles du monde » qu'on appela aussi « Le million ». Il fascina. Pendant plus d'un demi-siècle, des générations d'Européens rêvèrent sur ce texte et sur les enluminures qui l'illustraient.

Elles leur montraient encore des hommes sans tête, d'autres qui n'ont qu'un pied, qu'un œil, des dragons, des licornes, le bestiaire fabuleux des rêveries romanes. Mais aussi ce que Marco avait vu de ses yeux, des éléphants de combat, des villes, des ports immenses. Elles apprenaient comment on récolte l'or dans les fleuves, le poivre dans les plantations. Elles parlaient d'un trafic intense fondé sur l'écriture, le papier monnaie, la confiance. De morts qui n'étaient pas enterrés mais brûlés. Elles célébraient l'ordre maintenu, la justice rendue par des souverains aussi vaillants que les preux de la légende, et moins cruels. Elles décrivaient des cours policées, le plaisir de laisser couler le temps dans le calme, le luxe, près des princesses parfumées.

Le voile se déchire. Des foules d'hommes vivent ailleurs, prospères, dans la paix et la tolérance, sous d'autres lois, dans d'autres croyances. Dans le bonheur. Ce bonheur terrestre conforme à l'ordre naturel dont les nouveaux philosophes affirment, à l'époque même, dans Paris, qu'il répond au dessein de Dieu. Au désir avivé d'une joie qui serait goûtée dans cette vie même, non point reportée dans l'autre, et qui ne serait pas non plus la joie glacée de se vaincre soi-même en renonçant à tout, répond la recherche de la beauté pour soi. Dans le grand art, jusqu'alors, l'intention esthétique avait toujours été subordonnée à la théologie. Elle se libère. A Reims, au milieu du siècle, Gaucher, le dernier maître d'œuvre de la cathédrale, met en place les grandes statues préparées pour le portail majeur. Il les dispose à sa guise. Il néglige l'agencement que l'on avait au départ prévu et qui suivait pas à pas l'enseignement doctrinal. Les statues commencent ici d'être traitées, comme nous les traitons dans les musées, en fonction de leur valeur plastique et non plus de leur signification. Le sourire de l'ange de l'Annonciation, la pointe de malice sur le visage étonné de Marie et, drapant la Vierge de la Visitation, ces plis qui rappellent invinciblement ceux dont la statuaire de la Grèce antique avait enveloppé le corps des déesses, ces accents légers, et tant d'autres frémissements, préludent à l'intrusion dans la représentation sacrée de la délectation profane. Les statues de la Sainte-Chapelle sont de très beaux objets ; elles comptent parmi les chefs-d'œuvre de la sculpture de tous les temps. Un peu de spiritualité s'en est pourtant évaporé. A ceux qui les contemplent à la fin du XIIIe siècle, les grandes roses gothiques parlent moins des rigueurs de la démonstration scolastique que des cheminements hasardeux de l'âme dévote. Elles montrent l'enchevêtrement de ce labyrinthe où, d'épreuve en épreuve, comme les chevaliers errants de Lancelot, l'amour — l'amour de l'homme pour la femme aussi bien que l'amour de Dieu — tend vers son but. Ces roses ont rejoint celles du « Roman ». Elles sont elles aussi ces brasiers où flamboient le bonheur de vivre.

Le ton change. Le regard porté sur l'œuvre d'art aussi. A la même époque, le nerf de la création artistique se déplace depuis la France du Nord vers l'Italie. La France est paysanne. Quand meurt Saint Louis, la draperie est en plein essor à Arras et les plus grandes affaires se traitent aux foires de Champagne. Mais la terre commence à s'épuiser. On a cessé de conquérir des champs nouveaux sur la friche ; dans les vieux terroirs, déjà surpeuplés, le sol, trop vivement requis de produire, s'anémie et rend de moins en moins. La source de la richesse peu à peu se tarit dans ces provinces où elle est principalement rurale. En Italie, où la richesse est bourgeoise, la vivacité des échanges la fait au contraire jaillir plus vigoureusement de toutes parts. Ici, les trésors de l'Orient se déversent. C'est à Venise, à Gênes, à Florence qu'après sept siècles d'interruption reprend la frappe de la monnaie d'or. Les banquiers florentins et siennois sont désormais les maîtres de l'économie occidentale ; les États ne peuvent se passer de leur service ; le pape, de Rome ou d'Avignon, le roi de France, le roi d'Angleterre sont leurs obligés. Compter les pièces de monnaie, les semer, faire qu'elles circulent toujours plus vite, inventer pour cela la lettre de change, se conduire en débiteurs à l'égard des pauvres, des saints, de Dieu lui-même, en créanciers à l'égard des tâcherons qui fabriquent les draps et les soieries, tenir donc toujours scrupuleusement ses livres : de cette manière se haussent, côte à côte, les lignages patriciens dans les cités de l'Italie centrale, élevant leurs tours, rivales et dont le surgissement rend dérisoire la silhouette de la cathédrale, qui se défient, affirmant, face à face, une gloire, une puissance qui prétend encore se fonder sur les prouesses cavalières, que soutient en réalité le sens de l'épargne et du placement, l'astuce. Concurrence. Elle est laborieusement maîtrisée par le droit, par les palabres de la place, le forum aux harangues où se forge l'esprit civique. L'Italie est un autre monde. Ébloui, certes, par la culture splendide qui rayonne depuis Paris : son livre, Marco Polo choisit de l'écrire en langue française ; tous les prélats italiens ont vu construire, ont vu décorer Notre-Dame de Paris ; des floraisons de l'art de France, ils ont prélevé des boutures, ils les ont implantées dans leur cité ; des objets d'art parisiens, les marchands italiens font commerce. Tandis que, les uns après les autres, se ferment les chantiers des grandes cathédrales de France, toutes les valeurs spirituelles, intellectuelles, esthétiques dont ces monuments proposaient l'exaltation se transportent dans ce pays fortuné. L'Italie les convoitait, elle s'en empare. Mais pour les assimiler, les intégrer à ses propres traditions. Elle utilise à sa façon l'aristotélisme : combien sont-ils alors en Italie, ceux que Dante appelle Épicuriens et qui doutent de l'immortalité de l'âme ? Les sculptures placées sur la façade de la cathédrale d'Orvieto sont d'inspiration française, mais Ève qui naît du flanc d'Adam ressemble-t-elle aux vierges folles de Strasbourg ? Dans l'Italie des enrichis du négoce, des coureurs de mers et des confréries franciscaines, les séductions de l'art français sont en effet venues buter sur le fonds indigène que revigore l'ouverture progressive de l'univers. Solides, mesurés, opaques, se dressent des murs à Saint-Marc de Venise, à San Miniato, au baptistère de Florence. Ils refusent la témérité ascensionnelle du chœur de Beauvais, la translucidité de la Sainte-Chapelle. Ils sont couverts de marbre polychrome comme le Panthéon de la Rome antique — couverts de mosaïques descriptives comme les coupoles de l'Orient chrétien. Rome, Byzance : les deux parts d'un même héritage culturel. National.

Dante, lorsqu'il écrivit la « Divine Comédie »,

exilé, loin de Florence, rappelait avec nostalgie son « beau Saint-Jean », le baptistère. Les représentations de l'enfer, dans les hauteurs de l'octogone, avaient jadis soutenu son rêve. Son poème est une cathédrale, la dernière. Il prend assise sur la théologie scolastique, celle de Paris, dont on ne sait dire exactement par quel canal elle était parvenue jusqu'à Dante. Comme les cathédrales de France, la « Divine Comédie » entend élever l'esprit de degré en degré jusqu'à la lumière divine, selon les hiérarchies de Denys l'Aréopagite et par l'intercession de saint Bernard. Dante admirait les troubadours, ses maîtres. Il hésita. Composerait-il son œuvre, comme Marco Polo, dans le parler d'outre-mont ? Il choisit d'écrire en toscan, dotant ainsi l'Italie de sa langue littéraire.

Lorsqu'il place au fin fond de son Enfer, avec le traître Judas, Brutus et Cassius parce qu'ils ont trahi César, c'est à Rome, à l'Empire, c'est-à-dire à la patrie italienne, qu'il dédie ce monument. Il l'érige, à l'orée du XIVe siècle, comme l'annonce d'une nouvelle renaissance dont la péninsule fut en effet le berceau et qui rejeta l'art de France aux ténèbres en l'appelant gothique, ce qui veut dire barbare.

Lorsque Dante commençait d'écrire son poème, les racines de cette renaissance se trouvaient depuis vingt ans plantées en Toscane, près de Florence. Sur les bords de la mer latine, à Pise, dans un grand port qui n'était pas encore embourbé ni subjugué, à l'intérieur d'un autre baptistère dont la couronne d'arcatures est comme un hommage au gothique, Nicola Pisano avait, sur des bases où l'on voit aussi le reflet de l'esthétique française, établi des plaques de marbre. Elles entourent la chaire, le lieu de la prédication. Le sculpteur fait ici reparaître des formes dont on avait orné, dans l'ivoire, les reliures des évangéliaires pour les empereurs allemands de l'an mil. En fait, la résurgence vient de beaucoup plus profond, et du pays même. Sa plus lointaine origine est dans les tombes étrusques : la matrone de la Nativité a la gravité pensive de leurs défuntes allongées. Les cavalcades sont celles des triomphes augustéens, le tumulte ordonné, celui des sarcophages du IIe siècle. C'est Rome, la Rome antique que l'on voit ici ressusciter.

D'un chat tout noir qui fut mis en un écrin en terre, en un carrefour, par sorcellerie.

« En cette année, il advint aussi qu'un abbé de Cîteaux fut volé d'une merveilleusement grande somme d'argent. Il arriva ainsi que par la procuration d'un homme qui demeurait à Château-Landon et en avait été prévôt, ce pour quoi on l'appelait encore Jehan Prevost, qu'accord fut entre lui et un mauvais sorcier, qu'on ferait en sorte de savoir qui étaient les larrons, et qu'ils seraient contraints à restitution, de la manière qui s'en suit. Premièrement, il fit faire, à l'aide dudit Jehan Prevost, un écrin, et mettre dedans un chat tout noir, puis le fit enterrer dans la campagne, droit à un carrefour et lui prépara sa nourriture, et la mit dans l'écrin, pour trois jours : c'est à savoir du pain détrempé et arrosé de chrême, d'huile sainte et d'eau bénite. Et afin que le chat ainsi enterré ne mourût pas, il y avait onze trous dans l'écrin et onze longues fistules qui dépassaient la terre dont on avait recouvert l'écrin, grâce à quoi l'air pût entrer dans l'écrin et le chat respirer. Or il advint que des bergers, qui menaient leurs brebis aux champs, passèrent par ce carrefour, comme ils avaient coutume. Leurs chiens commencèrent à flairer et à sentir l'odeur du chat ; ils trouvèrent vite le lieu où il était et ils se prirent à fouir et à gratter avec leurs ongles, à croire qu'ils avaient senti une taupe, et si fort que nul ne les pouvait faire bouger de là. Quand les bergers virent que les chiens étaient si entêtés, ils s'approchèrent et entendirent le chat miauler ; ils en furent très ébahis. Et comme les chiens grattaient toujours, un berger, plus vif que les autres, alla conter cette chose à l'homme de justice, qui se rendit au plus vite en l'endroit et trouva le chat et la façon dont il avait été installé. On s'émerveilla grandement, ainsi que les gens qui étaient venus avec l'homme de justice. De là, le prévôt de Château-Landon se sentit plein d'angoisse à l'idée de savoir comment découvrir l'auteur de tel maléfice, et dans quel but et par qui ? il n'en savait rien. Mais il remarqua, pensant à l'intérieur de lui-même, que l'écrin était neuf, à la suite de quoi il convoqua tous les charpentiers de la ville et leur demanda qui avait fabriqué cet écrin. La demande faite, un charpentier s'avança et déclara qu'il avait fait cet écrin sur l'instance d'un homme que l'on appelait Jehan Prevost ; mais, Dieu en témoigne, il ne savait dans quel but il l'avait fait faire. Quelque temps plus tard, ledit Jehan Prevost fut appréhendé, mis à l'épreuve du feu et fort tôt confessa le fait, puis accusa un homme qui était le principal responsable, et qui avait imaginé ce maléfice et cette méchanceté, et qui s'appelait Jehan Persant. De plus, il accusa un moine de Cîteaux qui était apostat comme étant le principal disciple de ce Jehan Persant, ainsi que l'abbé de Cercanceaux de l'ordre de Cîteaux, et plusieurs chanoines réguliers, qui tous étaient complices de cette méchanceté, qui furent pris, attachés et menés à Paris devant l'archevêque de Sens et devant l'inquisiteur. Quand ils furent devant eux, on leur demanda dans quel but et pourquoi ils avaient fait cette chose, et surtout à ceux dont on croyait qu'ils étaient maîtres dans l'art du diable. Ils répondirent que si le chat était resté enterré trois jours au carrefour, après ces trois jours, ils l'auraient sorti puis écorché. Après, avec sa peau ils auraient fait des courroies qu'ils auraient nouées ensemble de façon qu'elles puissent faire un cercle en l'espace duquel un homme aurait pu être contenu. Laquelle chose faite, l'homme qui serait au milieu du cercle, mettrait tout premièrement dans son derrière de la nourriture de quoi le chat avait été nourri, autrement ses invocations n'auraient pas d'effet et seraient de nulle valeur. Et ceci fait, il appellerait un diable appelé Berich, lequel viendrait aussitôt et sans délai, et à toutes les questions qu'on lui demanderait il répondrait, et révélerait le larcin, et ceux qui en avaient été les auteurs. Encore plus, il enseignerait beaucoup de mal à faire, et l'apprendrait à qui le demanderait. Lesquelles confessions et franches diableries entendues, Jehan Prevost et Jehan Persant, comme auteurs et principaux responsables de cette méchanceté et de ce maléfice, furent jugés à être brûlés vifs. Mais comme la sentence tarda à être exécutée, l'un des deux, c'est à savoir Jehan Prevost, vint à mourir, et ses os et tout son corps furent brûlés et mis en poudre, par horreur d'un crime aussi horrible ; et l'autre, à savoir Jehan Persant, avec le chat pendu au cou, fut brûlé vif et mis en poudre le lendemain de la Saint-Nicolas. Après, l'abbé et le moine apostat, et les autres chanoines réguliers, qui avaient aidé à ce maléfice en fournissant le chrême et les autres choses, furent premièrement dégradés et ensuite, par jugement de droit, furent condamnés et mis en prison à perpétuité. »

De la bataille dans le Vigrafjord.

« Quand il vit que Steinthor dégainait son épée, Thorleif le gouailleur dit : « Tu as toujours des gardes blanches, Steinthor, dit-il, mais je me demande si tu as encore une lame flexible, comme cet automne dans l'Alptafjord. » Steinthor répondit : « J'aimerais bien que tu éprouves, avant que nous ne nous quittions, si ma lame est flexible ou non. » Il leur fallut du temps pour investir le rocher. Il y avait un long moment qu'ils en décousaient quand Thord au regard fixe s'élança sur le rocher et voulut jeter sa lance sur Thorleif le gouailleur parce que c'était toujours lui le plus avancé de ses hommes. Le coup arriva dans le bouclier de Thorleif, mais comme Thord avait fait un grand effort, il glissa sur les glaçons en pente, tomba à la renverse et redescendit du rocher sur le dos. Thorleif le gouailleur lui courut sus et voulut le tuer avant qu'il ne se remît sur pied. Freystein le coquin suivait Thorleif de près, il était chaussé de crampons à glace. Steinthor bondit et brandit son bouclier au-dessus de Thord juste quand Thorleif allait le frapper, et de l'autre main il frappa Thorleif le gouailleur et lui trancha la jambe en bas du genou. Pendant ce temps, Freystein le coquin visait Steinthor au milieu du corps. Mais, voyant cela, Steinthor sauta en l'air et le coup lui passa entre les jambes : et ces trois choses que l'on vient de raconter, il les exécuta en même temps. Après cela, il frappa Freystein de l'épée au cou, et il y eut un violent craquement. Steinthor dit : « L'as-tu eu maintenant, Coquin ? », dit-il. « Certes, je l'ai eu, dit Freystein, mais pas du tout autant que tu ne crois, car je ne suis pas blessé. » Il portait autour du cou un capuchon de feutre doublé de corne et c'est là-dedans que le coup était arrivé. Freystein remonta ensuite sur le rocher. Steinthor lui cria de ne pas s'enfuir puisqu'il n'était pas blessé. Alors Freystein fit face sur le rocher et ils s'attaquèrent furieusement. Steinthor fut en danger de tomber car les glaçons étaient à la fois glissants et en pente, tandis que Freystein se tenait ferme sur ses crampons à glace et frappait à coups redoublés. Mais leurs démêlés se terminèrent de telle sorte que Steinthor assena à Freystein un coup d'épée au-dessus des hanches et mit l'homme en pièces par le milieu du corps. Après cela, ils grimpèrent sur le rocher et ne s'arrêtèrent pas que tous les fils de Thorbrand ne furent tombés. Thord au regard fixe dit qu'il allait leur couper la tête à tous, mais Steinthor déclara qu'il ne voulait pas que l'on tue des hommes qui gisaient à terre. Ils descendirent alors du rocher et allèrent jusqu'à l'endroit où gisait Bergthor. Il était encore en état de parler et ils le transportèrent avec eux vers la terre ferme en suivant les glaces, puis vers l'extérieur de l'autre côté de l'isthme jusqu'au bateau ; ils revinrent en bateau, à la rame, jusqu'à Bakki le soir.

« Un berger de Snorri le godi s'était trouvé à Oxnabrekkur ce jour-là et, de là, il avait vu la bataille du Vigrafjord ; il alla aussitôt à la maison dire à Snorri le godi qu'il y avait eu dans le Vigrafjord une bataille peu amène. Alors Snorri et les siens prirent leurs armes et se rendirent vers l'intérieur jusqu'au fjord, à neuf en tout. Quand ils y arrivèrent, Steinthor et les siens étaient partis et arrivés à l'intérieur, au-delà des glaces du fjord. Snorri et ses hommes examinèrent les blessures de ceux qui étaient tombés. Il n'y avait aucun mort, hormis Freystein le coquin, mais ils étaient tous blessés grièvement. Thorleif le gouailleur appela Snorri le godi et lui demanda de poursuivre Steinthor et les siens, de n'en laisser échapper aucun. Ensuite, Snorri le godi alla à l'endroit où Bergthor s'était allongé : il vit là une grande tache de sang. Il ramassa une poignée de neige mêlée de sang, la pressa, se l'enfonça dans la bouche et demanda qui avait saigné là. Thorleif le gouailleur dit que c'était le sang de Bergthor. Snorri dit que c'était du sang de blessure profonde. « Cela se peut, dit Thorleif, car ça venait d'un coup de lance. » « Je crois, dit Snorri, que c'est du sang d'homme voué à la mort, et nous ne les poursuivrons pas. »

« Ensuite, les fils de Thorbrand furent transportés à Helgafell et l'on pansa leurs blessures. Thorodd Thorbrandsson avait en arrière du cou une blessure si grande qu'il ne pouvait tenir la tête droite ; il était en longues braies et elles étaient toutes trempées de sang. Il fallut qu'un domestique de Snorri le déshabille ; quand il dut retirer les braies, il ne put les lui enlever. Alors il dit : « On ne ment pas quand on dit de vous autres, fils de Thorbrand, que vous êtes des gens qui aimez les habits extraordinaires ; vous avez des vêtements si étroits qu'on ne peut vous les enlever. » Thorodd dit : « Tu ne le fais peut-être pas comme il faut. » Alors le domestique prit appui d'un pied sur un montant du lit et tira de toutes ses forces : les braies ne vinrent pas. Snorri y alla alors, palpa la jambe et découvrit qu'un fer de lance traversait la jambe entre le tendon d'Achille et le cou-de-pied et qu'il avait tout cloué ensemble, la braie et la jambe. Snorri dit alors que le domestique était un imbécile d'une espèce peu commune de n'avoir pas pensé à cela.

« Snorri Thorbrandsson était le moins abîmé des frères ; le soir, il s'assit à table à côté de son homonyme, et l'on mangea du fromage blanc, puis du fromage. Snorri le godi trouva que son homonyme ne mangeait pas beaucoup de fromage et il demanda pourquoi il mangeait si lentement. Snorri Thorbrandsson répondit que, quand on venait de les bâillonner, les agneaux n'avaient guère envie de manger. Alors, Snorri le godi lui palpa la gorge et découvrit qu'une pointe de flèche lui traversait la gorge, à la racine de la langue. Il prit alors des pincettes et retira la flèche. Après cela, Snorri Thorbrandsson mangea. Snorri le godi guérit tous les fils de Thorbrand. Quand le cou de Thorodd commença à se cicatriser, la tête resta un peu penchée vers l'avant. Thorodd dit que Snorri voulait le guérir pour en faire un invalide, mais Snorri déclara qu'il espérait que la tête se redresserait quand les tendons se renoueraient. Mais Thorodd ne voulut rien entendre que l'on ne rouvre la blessure et que l'on ne replace la tête plus droit. »

« La Saga de Snorri le godi », vers 1230.

« Tous ceux qui ont une fausse liberté ne recherchent que leur propre image. »

« Vouloir être déchargé de toute juste charge est la liberté la plus dangereuse qu'on puisse avoir. »

« Il y a bien plus de personnes raisonnables que de personnes simples. »

Henri Suso (1295-1366).

Résistance des nations

Nous appelons gothique une certaine manière de concevoir l'espace architectural, de dresser la silhouette d'une église, de camper un personnage, d'infléchir des paupières sur un regard, des lèvres pour un sourire. Cette manière de dessiner, de bâtir, de sculpter, les contemporains l'appelèrent tout simplement française. Ils avaient raison. Puisqu'ils ne parlaient pas de la France d'aujourd'hui, mais d'une région étroite, du vieux pays des Francs, du pays de Clovis, des campagnes autour de Paris. Depuis là tout se répandait au XIIe, au XIIIe siècle, le pouvoir, la richesse, la science. L' « art de France » était prédisposé à conquérir les autres provinces. Il ne les conquit pas toutes. Des résistances tenaces s'opposèrent à son expansion. Elles tenaient au politique : les souverains rivaux du roi de France entendaient, pour s'en distinguer, se réclamer d'autres formules esthétiques. Elles tenaient au substrat culturel : chaque pays conservait des manières de sentir, de penser, de croire, qui dressaient devant l'irruption de l'art gothique des écrans plus ou moins solides.

Les plus vives réticences, les plus franches

revendications d'autonomie s'enracinaient évidemment sur les lisières, et sur les plus civilisées : dans le Sud, l'extrême Sud de l'Europe. Elles n'étaient nulle part plus fermes qu'en Sicile. Une église domine le golfe de Palerme. Elle porte un nom latin : Monreale — Mont royal, Royaumont. On couronnait ici des rois, en effet ; ces rois parlaient latin, et c'était en latin que les prêtres célébraient ici leurs louanges. L'État dont Palerme était la capitale appartenait au XIIe siècle à la communauté de culture dont faisait également partie le royaume d'Angleterre, celui d'Allemagne, celui de France. Cet État était pourtant singulier par ses origines, par sa nature profonde. C'était le fruit d'une annexion, la plus belle conquête de la chevalerie d'Occident, véritable débordement cette fois puisque la Sicile, la Calabre, la Campanie, les Pouilles n'appartenaient pas à la latinité. Elles avaient formé la Grande Grèce. Elles étaient restées grecques sous l'Empire romain. L'invasion musulmane avait recouvert en partie ces provinces, déposant sur la couche profonde d'hellénisme une nouvelle strate, celle-ci de culture arabe. Enfin, pendant le XIe siècle, des chefs de bandes venus de Normandie s'étaient emparés de ce pays. Ils avaient su conserver des structures politiques très solides, une fiscalité, toutes les prérogatives des despotes qu'ils avaient remplacés. Dans leurs mains brutales était passé ce carrefour des itinéraires maritimes, opulent, ouvert sur les trois faces de la Méditerranée, la grecque, la musulmane, la latine. Sous la domination des rois de Sicile, les peuples de ces provinces continuèrent de vivre à leur manière : selon leurs croyances et leurs traditions. Les princes accueillaient les troubadours, mais on parlait grec, arabe, hébreu autour d'eux. Plus que Venise, plus qu'Antioche, dont les princes d'ailleurs étaient siciliens, Palerme, capitale ouverte sur tous les horizons de la mer, c'était l'Orient, vraiment possédé.

Une colonie de la chrétienté latine : bâti par les rois normands pour servir de cadre à des liturgies dont les officiants étaient, eux aussi, normands, Monreale est un monument colonial. Ses formes sont étrangères, importées. Elles ont été modifiées, comme le furent beaucoup plus tard, au Mexique, au Pérou, les formes des églises baroques, par un esprit, un tour de main, un goût qui sont indigènes. Le cloître de Monreale s'adosse à la cathédrale comme celui de Vaison-la-Romaine. Il est carré comme celui de Moissac. Sa structure est la même que celle du cloître de Saint-Bertrand-de-Comminges, parce que les fonctions de cette cour intérieure, disposée pour les cheminements méditatifs, sont identiques. Dans un angle, comme au Thoronet, la fontaine d'ablution. C'est le plan, ce sont les masses, adoptés d'un bout à l'autre de la chrétienté romaine pour les besoins corporels et spirituels d'une communauté de chanoines ou de moines bénédictins. Pourtant, la lumière ici joue comme elle le fait dans les jardins de Grenade; l'eau ruisselle comme dans les medersas de Fès, et cette similitude ne tient pas seulement au climat, au soleil : les colonisateurs, le roi, les gens d'Église qui le servaient, n'ont pas de leurs propres mains taillé, ajusté ces pierres. Ce fut l'ouvrage d'artisans locaux. Ils suivaient le plan directeur dans ses grandes lignes. Mais ils ajoutaient de leur cru, persuadés que leur virtuosité, que leur sens des valeurs et des couleurs plairaient à ces chevaliers, à ces moines qui devenaient irrésistiblement siciliens. Pour cette raison, le chevet de l'église de Monreale, construite sur le même principe que tant de basiliques bourguignonnes et provençales, fut drapé d'un décor discret comme une broderie, comme ces robes de soie orientale dont se revêtaient les princes normands pour les cérémonies de cour. Un simple voile. Il suffit à changer l'aspect du corps. L'aspect du cloître a changé de semblable manière : les colonnes paraissent disposées là pour le seul plaisir des yeux : de fait elles ne remplissent aucun rôle dans l'architecture ; elles ne soutiennent pas de voûte ; elles ne supportent qu'une charpente légère. Ce qui leur vaut cette gratuité. Les ornements qu'elles portent, incrustations polychromes ou gravures, sont ceux des boîtes à parfums, des plateaux d'ivoire, des échiquiers, de tous les accessoires des divertissements profanes que l'artisanat byzantin, musulman façonnait pour la délectation d'une aristocratie fastueuse. Des figures abstraites et des formes animales stylisées s'entremêlent sur leurs fûts, comme sur les tissus de Perse, apportés de Trébizonde ou d'Alexandrie. La flore qui couronne leurs chapiteaux procède de la tradition classique telle que l'avaient infléchie, dans la part orientale de l'Empire romain, le raffinement, le goût du plaisir et toutes les séductions de l'Asie. Les structures intruses, implantées par les colons, disparaissent ainsi sous cette magie décorative. Travesties, les voici finalement capturées, acclimatées. Elles semblent nées de cette terre capiteuse.

Dans l'intérieur de la basilique, à Monreale, point de vitraux : des mosaïques — comme dans les églises de l'Orient. Le sanctuaire est replié sur soi, il est conçu comme une conque, fermé, opaque. Un écrin. La lumière ne doit pas, du dehors, s'y déverser. On attend que les parois la distillent. L'or des fonds en est la source. Un scintillement comme brumeux, impalpable. Dans la pénombre, parmi les lueurs, le jeu des courbes abolit toute limite. Illusion de l'infini, de l'intemporel. Cet espace n'appartient pas à la terre. Il est céleste. La mosaïque, art de l'enchantement, de la transfiguration — mais aussi parure très coûteuse, à quoi la plupart des cités d'Italie avaient dû renoncer par trop de pauvreté, et remplacer par des fresques — la mosaïque triomphe à Monreale, dans d'autres églises à Palerme, à la Martorana, dans la chapelle palatine, et ceci dans la première moitié du XIIe siècle, c'est-à-dire au moment même où l'abbé Suger à Saint-Denis réunissait les éléments d'une esthétique nouvelle dont le vitrail est l'élément clé. Comme le vitrail, la mosaïque montre au fidèle, dès qu'il s'introduit dans le lieu sacré, la vérité. Des mots d'abord. La plupart sont grecs. D'autres s'y mêlent cependant, latins, et cette juxtaposition de langage porte témoignage d'une compénétration de cultures dont le royaume de Sicile était alors le lieu privilégié. Des figures illustrent ces paroles. Au centre du discours, c'est-à-dire au plus haut de l'édifice, dans la coupole, un vol d'archanges environne l'effigie du Christ tout-puissant. « Pantocrator. » Il règne sur d'innombrables silhouettes fixées sur toutes les voûtes, sur toutes les murailles. Prodigieux trésor d'images exprimant un christianisme beaucoup moins fruste qu'il n'était encore dans le reste de l'Occident. Il vient en effet de Byzance.

Dans la chrétienté byzantine, la distance n'était pas aussi grande entre le clergé et le peuple. Il n'existait pas de ces barrières que les prêtres de France ou de Lombardie venaient d'élever autour de leur personne sous prétexte de préserver leur pureté. L'idée s'imposait ici que l'esprit se répand également sur tous les fidèles, clercs et laïcs, et pour cela, l'Église orientale accueillait plus aisément des formes de spiritualité spontanément développées dans les consciences populaires. Elle avait annexé à sa prédication quantité de récits touchants, des anecdotes, celles que racontent les Évangiles apocryphes. Tout un théâtre. Par des suites de scènes, cette narration prolixe se trouvait transposée dans chaque sanctuaire, donnant à voir, vivants, les multiples personnages de la naissance, de l'enfance du Christ, de sa vie active, la résurrection de Lazare, la procession des Rameaux. Par une surprenante adjonction, se déployait ainsi, sur l'irréalité des fonds d'or une gestualité expressionniste. Le rôle principal revenant à la Mère de Dieu, à la Vierge. Les grands sanctuaires de Marie se trouvaient en effet en Orient : ils étaient l'objet d'une dévotion passionnée. De là vint en particulier le thème de la Dormition, dont les décorateurs gothiques s'emparèrent à la fin du XIIe siècle pour l'établir au portail des cathédrales de France. Marie n'est pas morte. Elle n'est qu'endormie. Car Dieu n'a pas voulu que sa mère, et son épouse, souffre dans son corps la corruption. Ce corps, des anges vont venir l'emporter, le soulever dans leur essor jusqu'au paradis. Toutes ces images furent présentes à Palerme bien avant de se propager vers le nord, de proche en proche, dans toute l'Europe. Elles étaient exposées dans ce lieu de rencontre, offertes à la vue de tous les pèlerins qui, partis de Gaule, de Germanie, d'Angleterre, traversaient Palerme pour gagner la Terre Sainte. Dans ces églises merveilleuses se trouve la source essentielle d'un rajeunissement de la spiritualité catholique dont procéda en particulier le franciscanisme. Vitalité de la terre sicilienne. Elle avait conquis ses conquérants. Elle ne se laissait rien imposer. Prodigue, elle distribuait de toutes parts ses richesses.

De l'art sacré, le roi était ici le seul promoteur. Son pouvoir ne s'était pas désagrégé : dans l'Italie du Sud, les institutions féodales importées contribuaient au contraire à raffermir la monarchie. Dans la chapelle de son palais de Palerme, le souverain vient prier comme priait Charlemagne. Il s'assied sur un trône semblable. Les murs, les plafonds disent, sur le mode byzantin, musulman, la même chose : que le monarque est l'image terrestre de Dieu. Au-dessus du souverain, siégeant en majesté, se dresse dominante la figure du Christ, flanquée de saint Pierre et de saint Paul, les deux patrons de l'Église de Rome, dont les rois siciliens étaient les plus sûrs alliés. Dans le sanctuaire de la Martorana tout proche, Dieu couronne le roi comme il couronnait les empereurs sur les évangéliaires allemands du début du XIe siècle. Par ce geste, est proclamé que la puissance du souverain de Palerme est totale, autonome, comme l'est sa responsabilité. Le poids du monde semble accabler ce roi souffrant, dont le visage est celui des saints ascètes, des Pères du désert égyptien. Pourtant, il passait sa vie dans une demeure somptueuse, apprêtée pour les plaisirs du corps comme l'était le palais des princes sassanides. Que reste-t-il des grandes salles où, parmi leurs vassaux entassés, Guillaume le Conquérant, Saint Louis allaient dormir ? Rien : ces hangars jonchés de foin étaient tout à fait rustiques. Éphémères : les rois du Nord y campaient, en passant, tout comme ils bivouaquaient en plein champ aux étapes de leurs continuelles chevauchées. Alors qu'ici, dans Palerme, pour le roi Roger, comme pour l'empereur de Byzance, comme pour le calife, comme pour les souverains d'Orient qui allaient accueillir Marco Polo, on avait construit solidement, et couvert les murs des appartements d'images plaisantes, de léopards, de forêts rêvées, d'oiseaux étranges, toute une ménagerie fantastique. Les robes brodées du comte d'Anjou, du comte de Poitiers ou de celui de Flandre portaient peut-être bien un décor semblable, mais les atours des barons de France étaient eux aussi fragiles : tout en a péri. Alors que demeure ce qui s'offrait aux yeux du roi dans Palerme à chaque aurore : une invite à se divertir, et dans ces chambres flotte encore un parfum d'odalisque. Imaginons l'émerveillement de tous les croisés, de Richard Cœur de Lion, de Philippe Auguste, lorsque leurs cousins de Sicile les hébergeaient au milieu des jardins d'orangers.

Il advint au début du XIIIe siècle que le descendant des souverains siciliens, leur héritier, fut le petit-fils de Frédéric Barberousse. Roi d'Allemagne, roi d'Italie du Nord par conséquent, comme son grand-père, et comme lui, finalement, empereur d'Occident : en novembre 1220, en l'église Saint-Pierre de Rome, le pape plaça le diadème sur son front, se prosterna devant lui comme devant le maître de l'univers, reconnaissant que le trône de Frédéric le Second, Frédéric de

Hohenstaufen, avait sa place parmi les constellations, dans ce champ d'étoiles dont le manteau de Henri II avait, deux siècles plus tôt, montré le reflet symbolique. Frédéric II reprenait donc le rôle de Charlemagne. Fut-il allemand ? Non pas. Son grand-père l'était, son père encore. Pas lui. Il était sicilien. Il ne fit jamais que passer à Aix-la-Chapelle, à Bamberg, à Ratisbonne. Ce fut dans le pays de sa mère, au sud de l'Italie, où il était né, qu'il aima vivre. Il y fit bâtir des églises dans les premières années de son règne, comme Saint Louis ; nul souverain, sinon Saint Louis, n'en édifia davantage durant le XIIIe siècle. Ces églises ne sont pas byzantines. Dans l'entourage de Frédéric II commençait en effet à prendre vigueur la volonté de repousser ce qui venait de l'Orient, de Constantinople, comme de la civilisation musulmane, afin que rien ne vînt dissimuler le caractère latin, romain de l'empire. Premier souverain d'Occident qui frappât de nouveau de la monnaie d'or, comme en avait frappé Auguste, Frédéric II n'oubliait pas les formules dont on l'avait salué dans Rome, lors du couronnement : César, lumière admirable du monde. Et lorsqu'il eut écrasé la révolte des cités lombardes, ce fut au Capitole qu'il fit porter les insignes de son triomphe. Dans les formes artistiques, il entendit que se manifestât l'essence de son propre « imperium », le Saint Empire romain germanique. Il refusa donc également l'art de France. Il tira le greffon de la terre allemande. Les églises qu'il fit construire et décorer dans le Sud italien sont carolingiennes, ottoniennes. Dans la cathédrale de Bitonto, la chaire surplombe un pavement de mosaïques où sont figurés Roland, Olivier, des héros français, mais dont les poètes de la Souabe ou du Frioul avaient transmis la légende. Cette chaire vient elle-même tout droit d'Aix-la-Chapelle. Le matériau, seul, a changé. A l'or s'est substitué le marbre, celui des arcs de triomphe que la Rome classique avait élevés pour ses empereurs. L'aigle est à la fois celui de saint Jean l'Évangéliste, celui des anciens rois de Sicile et celui de l'empire allemand. Sur le revers, l'empereur s'est fait représenter assis, dans la posture de la souveraineté ; comme dans les rituels de cour, les membres de son lignage, ses conseillers sont debout autour de lui. Aucun reflet de l'art gothique. Les masques sont ceux d'idoles romanes. Y transparaît déjà le rappel d'une figuration beaucoup plus ancienne, celle des sarcophages de l'Antiquité tardive.

L'empereur trouvait devant lui un rival, le pape, d'autant plus agressif qu'il s'inquiétait de voir ses États encerclés au nord et au sud par ceux de Frédéric. Une lutte sans merci s'engagea, l'excommunication brandie d'un côté, l'épée de l'autre. Convaincu que sa dignité le plaçait au-dessus de tous les prêtres, y compris l'évêque de Rome, qu'il lui incombait de rabaisser par la force leur orgueil, et d'imposer l'ordre sur la terre par l'application militaire des lois civiles, Frédéric, dès lors, fit surtout bâtir des châteaux. Castel del Monte, ce sceau plaqué sur la terre des Pouilles, procède lui aussi de la tradition carolingienne. Sa massivité, son opacité renie l'acuité translucide des cathédrales françaises. Octogone flanqué à tous ses coins de tours octogonales, cette forteresse reproduit les formes de la couronne des Otton, de la chapelle d'Aix. Elle ne s'ouvre pas comme celle-ci sur l'autre monde mais sur ce monde même, sur son ciel vrai. Elle parle d'un pouvoir guerrier, d'une puissance terrestre, comme en parle, et dans la même intonation, le couvercle timbré de l'aigle d'une boîte d'onguent dont se servit Frédéric II. Ce que l'architecture a d'impérial se trouve arraché résolument à la surnature, ramené vers le concret, le présent, désacralisé. Le château est un signe rappelant à l'obéissance les laboureurs de la plaine. Il sert de gîte au délassement d'un roi chasseur, avide de posséder le monde visible, de le traquer par les marais et les garennes, comme un gibier.

Frédéric II dicta lui-même un « Traité de Fauconnerie » dont la traduction française fut, vers 1280, illustrée de peinture. Alors que l'empereur Henri II, au début du XIᵉ siècle, appelait les imagiers de sa maison à représenter ce que l'œil humain ne peut voir, l'artiste qui travailla sur le texte de Frédéric était invité à faire l'inventaire minutieux de la création, à distinguer soigneusement chaque espèce animale, chaque genre. Donc à observer, guetter, pour saisir le vif du mouvement, l'envol. Ce qui supposait un coup d'œil aigu, analytique, le coup d'œil d'Aristote. De fait, l'astrologue de l'empereur lui avait rapporté de Tolède une version du « Traité des animaux ». Car Frédéric aimait les livres, ceux qui parlent de la nature des choses. Comme les théologiens de Paris, il eût voulu que l'on traduisît d'un coup tous les ouvrages où se trouvait, masquée sous le langage des Grecs ou des Arabes, la science antique. Or, ici, à Palerme, à Castel del Monte, ces livres, ceux d'Euclide, d'Averroès, n'apparaissaient pas, comme à Paris ou à Oxford, des objets étrangers, inquiétants et qu'il fallait exorciser. En Sicile, à Naples, tous les savoirs de l'Islam et des anciens Grecs semblaient sourdre du sol indigène. La tradition incitait dans ces contrées à poursuivre l'expérimentation. On rapportait de Frédéric qu'il avait, un jour, fait mourir un homme dans une jarre hermétiquement close afin de découvrir où l'âme pouvait bien aller après la mort. Cette tradition entretenait aussi le désir d'appréhender, dans leur infinie diversité, toutes les formes visibles, un désir que partageaient Albert le Grand et les sculpteurs des voussures de Chartres, mais qui, chez Frédéric, n'était pas tendu par l'espoir de parvenir à Dieu au terme d'un tel examen. Le but était tout autre : bâtir une histoire naturelle autonome, non pas servante de la théologie. C'est donc bien à la cour de Frédéric qu'il faut situer l'origine d'une volonté de réalisme figuratif. Elle ne procède pas, comme on le dit trop souvent, de l'esprit bourgeois. Elle fut suscitée par les curiosités d'un prince dont on racontait qu'il avait vécu comme un sultan.

Frédéric II, « stupor mundi », « étonnement du monde ». Nerveux, malingre. Un chroniqueur dit de lui : « esclave, on n'en aurait pas voulu pour deux cents sous ». Un homme surprenant. Pour beaucoup, c'était l'Antéchrist, pour beaucoup aussi c'était l'espoir. Dante l'a placé en enfer, il le fallait bien ; on sent comme il en fut triste. Tous ceux qui ont écrit à propos de Frédéric ont célébré sa vaillance, ce don qu'il avait de parler toutes les langues, le français, le toscan, l'allemand, le grec, le sarrazin, le latin. Ils l'ont blâmé d'avoir voulu jouir de tous les plaisirs de la chair, de s'être « conduit comme s'il n'y avait pas d'autre vie ». Oui : des guerriers musulmans tenaient garnison dans son château de Lucera.

Oui : il armait chevaliers des ambassadeurs des princes infidèles, et ce fut en négociant qu'il parvint à rouvrir aux pèlerins la route de Jérusalem. Mais, lorsqu'il prit la croix, quoi qu'en aient dit les cardinaux, ne croyons pas qu'il souriait. Il n'était nullement sceptique et encore moins incroyant. Il voulait simplement comprendre et demandait qu'on lui expliquât le dieu des Arabes, le dieu des Juifs, comme il demanda un jour à rencontrer François d'Assise. Il pourchassa les hérétiques, il soutint l'Inquisition plus rigoureusement qu'aucun autre souverain. Il choisit de mourir sous la bure cistercienne. Complexité que les religieux du XIIIe siècle qui pensaient tout d'une pièce avaient peine à comprendre. Ouverture surtout d'une prodigieuse intelligence sur la complexité d'un monde dont le triangle sicilien constituait comme le pivot.

Luttant toujours plus âprement contre les prétentions pontificales — et Louis IX de France, son cousin, tout saint qu'il fût, était de son parti — Frédéric II, à l'époque où Saint Louis s'apprêtait à édifier la Sainte-Chapelle autour de la couronne d'épines, fit élever dans les cités de son royaume du Sud, sa vraie patrie, ses propres statues. Des bustes. Et ce sont les bustes de César. En la personne de Frédéric II, l'Empire romain sortait de son exil allemand, il revenait à ses sources méditerranéennes. Ici, dans la seule cour d'Italie où pût se déployer largement le mécénat d'un prince, la vraie renaissance a pris son départ. Ce fut ici que Rome commença de revivre dans des formes sculptées et ce fut dans ces sculptures que Nicola Pisano, quelques années plus tard, puisa son inspiration.

Ce visage tourmenté, d'autres souverains, par-delà la mer latine ne le portaient-ils pas aussi, les rois de Castille, les rois d'Aragon ? L'Espagne, les Espagnes avaient été le lieu d'une semblable expansion de la chevalerie chrétienne, d'une semblable acculturation, une appropriation de richesses culturelles exotiques dont étaient gorgés, autant que la Sicile, ces territoires eux aussi ravis aux musulmans. Tolède, redevenue chrétienne dès 1085, était remplie de livres. Ils étaient en arabe. Mais il y avait les Juifs, de très vivantes communautés juives que les califes de Cordoue et les petits rois musulmans des cités espagnoles exploitaient certes, mais ne persécutaient pas. Les conquérants ne les persécutèrent pas tout de suite. Ils s'en servirent. Les lettrés juifs furent les intermédiaires, les truchements. Il reste aujourd'hui dans Tolède, transformées beaucoup plus tard en églises, de superbes synagogues qui furent construites et décorées au temps même où les cathédrales gothiques sortaient de terre. Toutes les parures de l'Islam y sont reprises pour orner ces lieux sobrement : le Tout-Puissant que l'on y vénère interdit de représenter les êtres qu'il a créés. Charpenté comme l'étaient les mosquées, couvert comme les mosquées d'incrustations, de stucs, l'intérieur de la synagogue du Transito a donc pour seul décor les lettres d'une parole, celles d'un dieu, le même, mais qui s'exprime, superbement, en hébreu. Alors que dans une autre synagogue qui devint, après les premiers refoulements du judaïsme, Santa-Maria-la-Blanca, une église de la Vierge, un pas est fait dans les chapiteaux vers la figuration. La végétation qui les couronne n'est pas si éloignée de celle que l'on voit aux chapiteaux de Cluny. Bien que dans ce monument hébraïque, leurs fonctions architecturale et symbolique soient fondamentalement différentes. En tout cas, sur le versant méridional où s'épanchait le surcroît de sa vitalité, la chrétienté latine trouvait en place, au temps de Henri Plantagenêt et de Saint Louis, alors qu'elle découvrait, irréductible au christianisme, le système philosophique d'Aristote, alors que les croisés s'apercevaient que les mécréants de Terre Sainte, que les schismatiques de Grèce étaient invincibles, des œuvres d'art splendides qui contredisaient radicalement son esthétique.

Le gothique surgissait débordant de force de Paris où s'ajustait la doctrine catholique. L'église monolithique du pape Innocent III avait trouvé dans le gothique l'un des véhicules les plus efficaces de son idéologie unifiante, et comme le symbole même de la catholicité. Dans Tolède s'implanta finalement, impérieuse, une cathédrale gothique. Dans les provinces qui avaient appartenu à l'empire franc de Charlemagne, l'insertion de l'art de France fut évidemment plus précoce. Elle fut surtout beaucoup plus profonde. En Allemagne, les formules parisiennes se conjuguèrent sans peine aux traditions locales : la cathédrale d'Ulm se trouve comme délivrée par l'esprit gothique de la massivité des porches ottoniens. Carolingienne, une des provinces d'Espagne, la Catalogne, l'était aussi. Les guerriers de Louis le Pieux l'avaient libérée de l'occupation musulmane. Elle était aussitôt devenue le bastion de la chrétienté, avancé contre les incursions de l'Islam. Elle résista cependant à l'irruption gothique, s'appuyant sur l'héritage roman. L'esthétique romane était ici chez elle. Pour une large part elle était née de cette terre même. Il fallut du temps pour la déraciner. Le fut-elle jamais ? Elle ne l'était qu'à demi au XIVe siècle. Dans le cloître de Lerida, des ramures de pierre qui, dans les cathédrales françaises avaient fonction de soutenir les verrières, s'appliquent, en plein vent, sur les arcatures. Ceci leur vaut beaucoup de liberté, de légèreté. Les brises jouent parmi ces claires-voies tout ouvertes sur le ciel comme elles le font dans les monastères latins de Chypre. Que reste-t-il de sacralité dans ce jardin de pierre ? La fantaisie s'y déploie dans la même virtuosité que l'on voit aux calligraphies arabes. Sur les chapiteaux, la nature est explorée lucidement, comme elle l'était dans les chambres de Palerme ou sur les manuscrits de Frédéric II. Mais l'observation ne sert plus qu'à découvrir, pour le seul contentement de l'esprit, des équivalences plastiques.

L'Europe de ce temps était immense et multiple. Aucune de ses provinces cependant n'échappa aux séductions de la culture parisienne. Mais dans presque toutes, et jusque dans les plus soumises, ce qui vint de Paris fut aussi incitation à revigorer les traits indigènes. Ainsi en Angleterre. Ce pays avait été subjugué l'un des premiers et totalement. Depuis 1066, depuis l'époque de la broderie de Bayeux, il n'était plus qu'une annexe de la Normandie. Successivement, ses rois avaient été des Normands, des Angevins, des Aquitains, des hommes nés dans le royaume de France et qui ne le quittaient jamais que pour y revenir au plus vite. Jusqu'à la fin du XIIIe siècle, la classe dirigeante d'Angleterre fut tout entière française de langue, de culture, de manières ; inversement dans l'université de Paris, les maîtres et les étudiants venaient en majorité de ce côté-ci du monde. Osmose. Lorsque les écoles d'Oxford devinrent les rivales des parisiennes, l'évêque Robert Grosseteste qui les lança proclamait, comme Suger, que le Christ est lumière, lumière engendrée de la lumière, que l'univers est l'effet d'une irradiation et que tout le savoir humain n'est que la diffusion de la lumière incréée. De ces propositions découlait un principe esthétique, l'affirmation que la lumière constitue la perfection des formes corporelles. L'attention des chercheurs se concentra par conséquent sur l'optique. Elle aboutit à des traités sur la réfraction des rayons lumineux. Elle déboucha sur une géométrie, rigoureusement tissée, en angle droit, sur les projections de la lumière. C'est celle-ci qui sert d'armature à l'architecture rigide des cathédrales anglaises, à la verticalité logique de Salisbury, d'Ely, de Wells. Parmi les vastes prairies, dans des cités très paysannes, très pastorales, ces édifices s'étendaient démesurément puisque les évêques, les abbés anglais, puissamment riches et toujours menacés d'être spoliés par le roi, se hâtaient de mettre à l'abri leurs profits en investissant dans le bâtiment. En Angleterre, l'esprit de géométrie se portait d'ailleurs plus résolument peut-être qu'en Ile-de-France à la rencontre d'une volonté d'austérité, dans des communautés religieuses plus fortement marquées par la morale cistercienne. Ajoutons que le propos esthétique se trouvait encore infléchi par des habitudes techniques particulières. Sur ces confins de l'Europe civilisée où l'on avait plus longtemps construit en bois, des tours de main propres à ce pays de tisserands, d'archers, de calfats, de constructeurs de navires marquaient ces formes d'un accent singulier. L'intention politique enfin vint accuser ce particularisme. Le roi d'Angleterre était vassal du roi de France. Il était surtout son rival. Pour défendre son indépendance, il s'adossa au fonds culturel de ses provinces insulaires, à ce qui demeurait de celtique, de scandinave en Grande-Bretagne. Contre Charlemagne, contre Roland et Olivier, contre les goûts francs, contre la France, ce fut la « matière de Bretagne » que les littérateurs mirent en forme pour plaire à leur maître, Henri Plantagenêt, roi d'Angleterre. Les bâtisseurs et les tailleurs d'images agirent de même, affirmant, comme à Castel del Monte, comme à Lerida, l'autonomie d'une culture nationale. Ils donnèrent corps à des rêves forestiers évoquant, par embroussaillements, entrelacements, le roi Arthur, Brocéliande, les immenses réserves de chasse où les rois et les barons couraient le daim. La fantaisie s'était précocement libérée dans la miniature, art secret, donc indépendant ; elle demeura longtemps comprimée dans l'architecture par le double souci de rationalité mathématique et de renoncement cistercien. On la voit qui fuse de toutes parts au XIVe siècle, brusquement, lorsque se desserrent les liens politiques qui rattachaient la grande île à la France. A Gloucester Abbey, élevée grâce à l'aumône des pèlerins venus prier sur la tombe du roi Édouard II que l'on tenait pour un martyr, les voûtes devinrent des futaies extravagantes. Dans les travées du cloître, toute la géométrie des structures finit par disparaître, noyée dans l'exubérance des feuillages. La tour lanterne de la cathédrale d'Ely s'était écroulée en 1325. Pour la reconstruire, le maître-d'œuvre fit hisser à la croisée du transept huit troncs d'arbres. Par-delà de grandes baies dont on voulait que les vitraux fussent toujours plus perméables aux illuminations, la lumière dès lors tomba du point culminant de l'espace intérieur, où le faisceau de toutes les prières se lie en gerbe pour être lancé au plus haut des cieux. Elle tomba du lieu crucial de la communication mystique, du centre de l'octogone de bois, végétal par ses formes autant que par le matériau dont il était fait. Cette corolle s'épanouit très lentement dans les heures matinales, à mesure que le brouillard se lève, de même que la grâce divine, dissipant les ténèbres, s'infiltre progressivement jusqu'au plus profond du monde.

Frédéric II.

« C'était un homme astucieux, fourbe, cupide, luxurieux, malicieux, irritable. Et c'était en même temps un homme plein de valeur, quand il voulait faire montre de ses bontés ou amabilités, bienveillant, charmant, délicieux, actif ; il savait lire, écrire, chanter et composer des cantilènes et des chansons : il était bel homme et bien proportionné, mais de taille moyenne. Je l'ai vu et l'ai aimé tout de suite. Il savait également nombre de langues différentes. Bref, pour en finir, je dirais que s'il avait été bon catholique, avait aimé Dieu et l'Église et son âme, il aurait eu, au monde, bien peu de pairs parmi les souverains [...]. Il voulut savoir par l'expérience quelle sorte de langue et d'idiome avaient les enfants, quand ils grandissaient sans parler à personne. Et il commanda aux servantes et aux nourrices de donner du lait aux bébés, de les faire sucer à la mamelle, de les baigner et de les nettoyer mais de ne les cajoler d'aucune manière ni de leur parler ; car il voulait savoir s'ils parleraient l'hébreu, première langue qui fut, ou le grec ou le latin ou l'arabe, ou bien la langue de leurs parents, de ceux dont ils étaient nés. Mais il s'efforçait en vain car les enfants ou les bébés mouraient tous. Il donna un excellent et copieux repas à deux hommes, envoya l'un dormir et l'autre chasser et, le soir suivant, leur fit enlever les entrailles sous ses yeux, parce qu'il voulait savoir lequel avait le mieux digéré. [...] »

« *Chronique de Fra Salimbene de Adamo.* »

« Les inquisiteurs de Carcassonne, d'Albi et de Toulouse imposaient, en vertu d'une vieille coutume, deux sortes de pèlerinages : les « majeurs », les « mineurs ».

« Les lieux de pèlerinages majeurs, tous situés hors de France, étaient Saint-Jacques-de-Compostelle, Rome, Saint-Thomas de Cantorbéry, les Trois-Rois de Cologne. Ceux qui se rendaient dans la Ville Éternelle devaient habituellement y rester une quinzaine de jours, afin d'effectuer la visite des tombeaux des saints et des églises à laquelle le Saint-Siège avait attaché des indulgences nombreuses et fructueuses.

« Les lieux de pèlerinages « mineurs » étaient les suivants : Notre-Dame de Rocamadour, du Puy, de Vauvert, de Sérignan, Notre-Dame-des-Tables à Montpellier, Saint-Guilhem du Désert, Saint-Gilles en Provence, Saint-Pierre de Montmajour, Sainte-Marthe de Tarascon, Sainte-Marie-Magdeleine de Saint-Maximin, Saint-Antoine de Viennois, Saint-Martial et Saint-Léonard en Limousin, Notre-Dame de Chartres, Saint-Denis en Parisis, Saint-Seurin de Bordeaux, Notre-Dame de Souillac, Sainte-Foi de Conques, Saint-Paul de Narbonne, Saint-Vincent de Castres. A ces pèlerinages on ajoutait toujours la visite annuelle, à vie, de Saint-Étienne de Toulouse le 3 août et de Saint-Sernin de Toulouse dans l'octave de Pâques, avec l'obligation d'entendre en entier la messe et le sermon, de Saint-Nazaire de Carcassonne le 28 juillet, de Sainte-Cécile d'Albi le 22 novembre, de Saint-Antoine de Pamiers le 13 juin, de Notre-Dame d'Auch le 8 septembre.

« Les pèlerins s'engageaient par serment à se mettre en route dans un délai d'un, de trois ou de quatre mois à partir du jour de la délivrance de leurs lettres pénitentielles qui leur servaient de sauf-conduits. A leur retour, ils présentaient à l'inquisiteur des certificats attestant qu'ils avaient accompli les pèlerinages et visites obligatoires. »

« Manuel de l'Inquisiteur », 1323.

« De la secte de ceux qu'on appelle vulgairement Béguins et Béguines. » — La secte des Béguins — ceux-ci se nomment Pauvres frères et déclarent embrasser la troisième règle de saint François — est apparue récemment dans les provinces de Provence et de Narbonne et dans quelques endroits de celle de Toulouse, qui depuis longtemps est comprise dans la province de Narbonne. Mais ils commencèrent à être signalés et à être démasqués à cause de leurs opinions erronées vers l'an du Seigneur 1315, un peu avant ou un peu après, quoique beaucoup les eussent déjà tenus communément pour suspects. Au cours des années suivantes, dans les provinces de Narbonne et de Toulouse et en Catalogne, un bon nombre furent arrêtés, détenus, surpris dans leurs erreurs et, dès l'année 1317, plusieurs de l'un et l'autre sexe furent convaincus d'hérésie, jugés comme tels et brûlés, surtout à Narbonne, à Béziers, dans le diocèse d'Agde, à Lodève, près de Lunel (au diocèse de Maguelonne), à Carcassonne, à Toulouse, où trois étaient des étrangers.

Erreurs et opinions erronées des Béguins de l'époque actuelle. — Leur origine. — Les Béguins et Béguines de Christ ; eux et les clercs à la démarche pompeuse sont de la famille de l'Antéchrist.

« Item, les Béguins et Pauvres du tiers-ordre, bien que dénoncés comme appartenant à la secte et hérésie des Béguins et amenés précisément pour répondre de cette accusation, ne sont point tenus de prêter serment devant les prélats et inquisiteurs, à moins qu'il ne s'agisse de la foi ou des articles de foi. Item, les prélats et inquisiteurs ont le droit de les interroger uniquement sur les articles de la foi, sur les commandements ou sur les sacrements. Si les interrogatoires portent sur d'autres sujets, ils ne sont pas tenus de répondre : ne sont-ils pas des laïcs et des gens simples ? — à ce qu'ils prétendent du moins — car ils sont en réalité astucieux, rusés et fourbes.

« Item, on ne peut ni on ne doit les obliger par serment à révéler ni découvrir leurs « croyants », complices et compagnons ; ils ne sont point en pareil cas tenus de jurer : ce serait, à les entendre, contraire à l'amour du prochain et agir au détriment d'autrui.

« Item, si on les excommunie, parce que, requis en jugement, ils n'acceptent point le serment pur et simple de dire la vérité, sauf en ce qui concerne les articles de foi, les commandements ou les sacrements, parce qu'ils refusent de répondre au sujet d'autrui et ne veulent point révéler leurs complices, une telle excommunication est injuste, ne les lie pas et ils n'en tiennent absolument aucun compte.

« Item, le pape ne peut, selon Dieu, imposer aux Béguins, même par une sentence d'excommunication, de ne point vivre de mendicité, pour cette raison qu'ils peuvent travailler et se procurer par l'excercice d'un métier les vivres nécessaires et qu'ils ne sont point des ouvriers de l'Évangile, puisqu'il ne leur appartient pas d'enseigner ou de prêcher : leur perfection en serait, disent-ils, amoindrie, et donc ils ne doivent point obéissance au pape en cette matière et une telle sentence ne les lierait point. S'ils étaient pour cette raison condamnés à la mort, ils seraient de glorieux martyrs. »

« Manuel de l'Inquisiteur », 1323.

« *Ce que sont les sorciers, devins et invocateurs des démons.* — La peste et erreur des sorciers, devins et invocateurs des démons revêt, en diverses provinces et régions, des formes nombreuses et variées en rapport avec les multiples inventions et les fausses et vaines imaginations de ces gens superstitieux qui prennent en considération les esprits d'erreur et les doctrines démoniaques.

« *Interrogatoire des sorciers, devins et invocateurs des démons.* — Au sorcier, devin ou invocateur des démons inculpé, on demandera la nature et le nombre des sortilèges, divinations ou invocations qu'il connaît, et qui les lui a enseignés.

« Item, on descendra dans les détails, prenant garde à la qualité et condition des personnes, car les interrogatoires ne doivent pas être les mêmes pour tous. Autre sera celui d'un homme, autre celui d'une femme. On pourra poser à l'inculpé les questions suivantes : que sait-il, qu'a-t-il appris, à quelles pratiques s'est-il livré à propos d'enfants victimes d'un sort et à désensorceler ?

« Item, à propos des âmes perdues ou damnées ;
item, à propos de voleurs à incarcérer ;
item, à propos d'accord ou de désaccord entre époux ;
item, à propos de la fécondation des stériles ;
item, à propos de substances que les sorciers font absorber ; poils, ongles et autres ;
item, à propos de la condition des âmes des défunts ;
item, à propos de prédictions d'événements à venir ;
item, à propos des fées qui portent bonheur ou, dit-on, courent la nuit ;
item, à propos des enchantements et conjurations au moyen d'incantations, de fruits, de plantes, de cordes, etc. ;
item, à qui les a-t-il enseignées ? de qui les tient-il ? qui les lui a apprises ?

« Item, que sait-il de la guérison des maladies au moyen de conjurations ou d'incantations ?

« Item, que sait-il de cette façon de récolter les plantes, à genoux, face à l'orient, et en récitant l'oraison dominicale ?

« Item, qu'en est-il de ces pèlerinages, messes, offrandes de cierges et distributions d'aumônes qu'imposent les sorciers ?

« Item, comment fait-on pour découvrir les vols et connaître les choses occultes ?

« Item, on fera notamment porter l'enquête sur ces pratiques qui sentent une superstition quelconque, l'irrespect, l'injure vis-à-vis des sacrements de l'Église, en particulier du sacrement du corps du Christ, vis-à-vis du culte divin et des lieux consacrés.

« Item, on s'enquerra de cette pratique qui consiste à conserver l'eucharistie, à dérober aux églises le chrême ou l'huile sainte ;
« item, de celle qui consiste à baptiser des images de cire ou autres : on demandera la manière de les baptiser, quel usage on en fait et quels avantages on en retire.

« Item, on interrogera le prévenu sur les images de plomb que fabriquent les sorciers : mode de fabrication et emploi.

« Item, on lui demandera de qui il tient tous ces renseignements ;
« item, depuis combien de temps il a commencé à user de telles pratiques ;
« item, quelles personnes et combien sont venues lui demander des consultations, en particulier pendant l'année en cours ;
« item, lui a-t-on antérieurement défendu de se livrer à de telles pratiques ? qui lui a fait cette défense ? a-t-il promis de ne plus se livrer à ces pratiques et de n'en plus user désormais ?
« item, a-t-il récidivé malgré cette promesse ab abjuration ?

« item, croyait-il à la réalité de ce que les autres lui enseignaient ?
« item, quels bienfaits, présents ou récompenses a-t-il reçus pour ses services ? »

« Manuel de l'Inquisiteur », 1323.

Les erreurs de Dolcino.

« Item, Dolcino avait une amie du nom Marguerite qui l'accompagnait et vivait avec lui ; il prétendait la traiter, en toute chasteté et honnêteté, comme une sœur dans le Christ. Et comme elle avait été surprise en état de grossesse, Dolcino et les siens la déclarèrent enceinte du Saint-Esprit.

« Item, les disciples et adeptes de Dolcino qui se disent apôtres vivaient, cela a été constaté maintes fois, en compagnie de semblables amies qu'ils appelaient sœurs dans le Christ et couchaient avec elles, se targuant faussement et feignant de ne ressentir aucunement les tentations de la chair.

« Item, on notera que ledit Dolcino était le fils illégitime d'un prêtre.

« *Condamnation et supplice de Dolcino.* — Contre ledit Dolcino, hérétique, et ses adeptes, le seigneur pape Clément V ordonna de procéder, ainsi qu'il ressort des lettres apostoliques adressées aux inquisiteurs de l'hérésie, à l'archevêque de Milan et à ses suffragants dans les régions lombardes...

« Aussi, par mandat apostolique, une croisade fut-elle prêchée contre le susdit Dolcino, avec concession d'indulgences pour les péchés. A plusieurs reprises, les inquisiteurs levèrent une armée contre lui, mais ils ne pouvaient en venir à bout, tant s'était accru, dans les régions lombardes, le nombre de ses adeptes « croyants », receleurs, « fauteurs » et défenseurs.

« A la fin, les inquisiteurs de Lombardie, de

concert avec l'évêque de Verceil, prêchèrent une croisade avec concession d'indulgence plénière et organisèrent une importante expédition contre le susdit hérésiarque Dolcino. Celui-ci, après avoir, non pas seulement en ressuscitant d'anciennes erreurs, mais plutôt en inventant des dogmes nouveaux et pervers, infecté beaucoup de personnes, les avoir attirées à lui et s'être constitué de nombreux disciples et adeptes, s'était retiré avec eux dans les montagnes du Novarais.

« Là, il arriva que par suite de la température inclémente beaucoup défaillirent et périrent de faim et de froid, moururent ainsi dans leurs erreurs. Aussi l'armée des fidèles, escaladant les montagnes, fit prisonnier Dolcino avec environ quarante des siens ; on compta, tant tués que morts de faim et de froid, plus de quatre cents victimes. Avec Dolcino on prit également Marguerite, hérétique autant qu'enchanteresse, sa complice dans le crime et dans l'erreur. Cette capture eut lieu durant la semaine sainte, le jour du jeudi saint, au début de l'an 1308 de l'incarnation du Seigneur. L'exécution judiciaire des coupables s'imposait ; elle fut faite par la cour laïque. Ladite Marguerite fut coupée en morceaux sous les yeux de Dolcino ; puis celui-ci fut également taillé en morceaux. Les ossements et les membres des deux suppliciés furent livrés aux flammes et en même temps quelques-uns de leurs complices : c'était là le châtiment mérité de leurs crimes. »

« Manuel de l'Inquisiteur », 1323.

Le tournant du XIVe siècle

Dans l'Italie de 1300 où le fort de l'innovation s'est transféré, ce ne sont ni les paysans, ni les guerriers, ni les prêtres qui dominent. Ce sont les négociants, les banquiers, trafiquant de tout, des épices, du drap, de la soie, des œuvres d'art, prêtant au roi, récoltant dans toute la chrétienté l'impôt que lève le pape, formant pour cela ce qu'ils appellent des compagnies, présentes par des filiales sur les principales places du commerce. La cathédrale n'est donc pas, dans les cités de Toscane ou d'Ombrie, ce qu'elle est en France et en Angleterre, le centre de tout. C'est un objet, un bel objet, posé parmi d'autres. La vie s'ordonne autour de la place, où l'on discute, où s'échangent les choses et les mots, et le long des rues sur quoi s'ouvrent ateliers et boutiques. La plus haute culture n'est pas ici théologique. Elle est pratique, civile, profane, fondée sur le droit romain que l'on enseigne à l'université de Bologne, fondée sur le calcul et, dans ses pointes avancées, sur Aristote, mais lorsque Aristote parle de logique et de vertu.

Ces villes sont des républiques. Leurs citoyens théoriquement sont égaux. Démocraties ? Oligarchies : les plus riches dirigent l'association, la commune. Pour conquérir les marchés qu'ils convoitent, ils l'entraînent à lutter contre ses voisines. Les cités s'affrontent constamment. Elles se replient donc derrière des remparts, crénelant leurs ponts, crénelant chacun de leurs palais, puisque les familles patriciennes, elles aussi, sont rivales, formant des partis qui se querellent sans cesse à l'intérieur des murs. On y rêve d'un ordre qui, pour apaiser au moins ces discordes intestines, reposerait sur la fidélité mutuelle, la concorde, sur l'amour commun de la petite patrie. Le souvenir de la liberté romaine nourrit cette idéologie civique. Elle s'incarne dans des entreprises de décoration confiées à des artistes recrutés sur concours et qui sont appelées à célébrer le culte d'une déesse : la ville.

La commune florentine avait chargé Giotto de diriger à la fois les travaux des ponts et des murailles, ceux du palais municipal et ceux de la cathédrale : celle-ci appartenait en effet bien davantage à la communauté des citoyens qu'au clergé. A la base du campanile furent placés des médaillons qui glorifiaient les travaux du peuple et la morale politique. Les Pisans avaient d'abord placé l'effigie de leur ville dans l'abside de la cathédrale, près de celle de l'empereur. C'était une figure de reine, de mère, agenouillée devant la Vierge. Vers 1310, une nouvelle statue fut commandée à Giovanni Pisano. On l'installa au centre de l'édifice et de son décor, sous la chaire de vérité dont elle est avec la statue du Christ le pilier. D'étroits liens de parenté unissent l'œuvre de Giovanni Pisano à la statuaire de Reims. Les sculpteurs de Toscane étaient en effet eux aussi fascinés par le gothique. Toutefois, dans ces régions, la fierté urbaine s'associait à la nostalgie de Rome et souvent au dévouement à l'empire, prudent, tant que cet attachement ne contrariait pas trop les affaires. Ceci portait à retrouver pour célébrer la gloire de la cité l'accent des ruines romaines. Le Jésus de la chaire pisane est soutenu par quatre statues, celles des évangélistes. La femme qui représente Pise l'est symétriquement par les quatre vertus cardinales : celles de la vie pratique. L'une d'elles, la Prudence, est nue comme une Vénus antique.

Dans ces villes contractées, agglutinées comme des ruches ou comme les medinas de l'Islam, le palais communal constituait l'articulation maîtresse de toute structure, sociale et topographique. A Sienne, le plus ancien ordonnancement d'urbanisme qu'ait connu l'Europe moderne fait pour cela converger tous les quartiers vers un seul lieu, une conque, la Piazza del Campo. Les milices se rassemblaient là. Le peuple entier écoutait là les harangues. Tous les intérêts privés se trouvaient ramenés vers le siège du pouvoir, vers l'espace fermé où les magistrats délibèrent loin de la foule et de ses émois. A l'abri. Dans toutes les communes d'Italie, les bâtiments municipaux, le palais des podestats chargés de réconcilier les factions, sont des maisons romaines, à cour intérieure, de plan semblable à celui des monastères bénédictins, mais aménagées en forteresses, rugueuses, capables de soutenir un siège. Il le faut bien, l'émeute est toujours à craindre. Mais surtout le pouvoir des magistrats, égal à celui des rois, est lui aussi d'essence militaire. Comme au roi il leur sied de siéger à l'ombre d'une tour. Au cœur de la cité, s'élève par conséquent un symbole guerrier de souveraineté.

Pour aider les dirigeants de la commune de Sienne à demeurer dans la voie droite, Ambrogio Lorenzetti fut appelé en 1337 à placer devant leurs yeux la représentation des principes et des conséquences de leurs décisions politiques. Sur les murs de la salle du conseil, comme sur l'une de ces estrades étroites où les franciscains s'installaient pour prêcher, le peintre a disposé des acteurs. A cette époque en effet l'esprit des laïcs n'accédait aux idées abstraites que par l'allégorie, par le tableau vivant, par le théâtre. Il fallait donner aux idées un corps, un vêtement, des emblèmes signifiants, un visage, une voix. Il fallait les costumer, les animer de gestes. D'un côté, ce dont il faut s'écarter : le mauvais gouvernement. Environné de toutes les forces de confusion, l'avarice, la gloriole, la fureur, gesticulante, le prince du mal foule aux pieds la justice. A l'opposé, le bon gouvernement est un vieillard. Sage, comme ils le sont tous ou comme ils devraient l'être. Barbu. Ses traits sont ceux du roi Salomon, ou plutôt de Marc Aurèle, empereur romain. Il ressemble aussi à Dieu le Père. Escorté de chevaliers comme celui-ci l'est par les archanges, il occupe une place, il fait des gestes de Jugement dernier. Triant les bons et les méchants. A sa gauche les ennemis de la commune, les trublions, les révoltés, enchaînés, sont mis hors d'état de nuire. A sa droite, du côté du salut, la théorie calme de vingt-quatre conseillers défile. Ils sont, pompeusement parés, les chefs des maisons notables de la ville. Jeunes et vieux. Ils ont posé devant le peintre. Tous laïcs : pas un prêtre, pas un prince. Tous égaux. Unis par la concorde. On le voit bien sur l'image : un même lien les attache ; il est tressé de deux cordes ; celles-ci sortent des deux plateaux équilibrés d'une balance que tient la justice distributive. Autour de la figure exemplaire du bon pouvoir, légèrement en contrebas puisqu'ils lui sont subordonnés, six personnages encore. Des femmes : les quatre vertus, la magnanimité, enfin, admirable oisive, la paix. Sur le tréteau, la mise en scène du tympan de Conques est donc reprise. Mais elle ne sert plus la théologie. Dans cette composition picturale, démonstration minutieuse, explicative, et pour cela combinant les artifices de la pédagogie et de l'illusion, la désacralisation est poussée beaucoup plus loin qu'à Castel del Monte. Tous les gestes, toutes les postures rituelles, celles des processions, des litanies qui depuis des siècles s'évertuaient à procurer les équivalences visuelles des seuls mystères du christianisme, n'annoncent plus le jugement de Dieu. Ils sont maintenant au service d'une justice terrestre, de la politique.

En effet — et voilà l'esprit nouveau —, la main des artistes n'est plus guidée par des hommes d'Église. Elle l'est par des hommes d'État. Dans l'Italie centrale, les maîtres de la seigneurie urbaine sont des gens d'affaires. Austères encore, applaudissant Dante lorsque celui-ci célèbre la rigueur des anciens Florentins, vitupère la propension au luxe de leurs descendants. Leur idéal de vie laborieuse et rigide s'accorde à l'univers minéral et cubiste qu'Ambrogio Lorenzetti figure sur l'autre versant de la fresque. On lui avait commandé de représenter les effets d'un gouvernement juste : il a décrit tout simplement la ville. Plus de machinerie, plus de mise en scène : le regard qui s'étend librement, comme il peut le faire depuis la fenêtre haute du palais communal, sur la cité et sur son contado. Campagne et ville réunies sous la puissance du magistrat — pourtant isolées l'une de l'autre par la muraille. Une ligne d'horizon démesurément élevée, aucun jeu d'atmosphère, pas d'ombre. L'espace est figé, plein comme celui d'Aristote. Réel cependant, tel que le perçoivent ces commerçants, ces propriétaires, ces planteurs de vignobles qui savent parfaitement le prix des grains, des porcs, le prix des sacs de laine et qui veulent voir clair dans leurs comptes. Ils attendaient que le peintre fît l'éloge du travail efficace, discipliné, qui rapporte gros. Dans ces échoppes, ces écoles, sur les échafaudages de la ville en permanente construction, et puis, hors les murs, parmi les champs et les vergers, tous les gestes du labeur sont scrupuleusement dépeints. Ils le sont aussi à Paris, à Amiens, au porche de la cathédrale. Mais à Sienne ce ne sont pas les symboles des mois, du cours du temps. Ils démontrent que le peuple peut s'avancer dans la sécurité et le bien-être s'il travaille dans le bon ordre. Ils affirment que les patriciens ont seuls le droit de jouir en paix des plaisirs nobles. De ne rien faire sinon danser : ce que font chastement les demoiselles sur la place, dans leurs belles robes printanières. Sinon chasser : ce que vont faire les jeunes gens, galopant au-delà des remparts, comme Frédéric II le Fauconnier, à travers un paysage démesuré, asservi, pourvoyeur — le premier paysage vrai que l'on ait tenté de peindre en Europe.

Les jalousies, les agressions des communes concurrentes menaçaient cependant ce territoire.

Il fallait le protéger, et si l'on pouvait, l'étendre. La cité glorifie donc aussi ces guerriers de profession, ces entrepreneurs de combat qu'elle engage et qui mènent à son profit la lutte armée comme une affaire : discutant ferme avec leur employeur, jouant parfois leur va-tout les uns contre les autres dans une bataille, mais d'ordinaire s'épargnant mutuellement. La commune s'apprête à dédier à ces condottieres des statues équestres. Les premiers cavaliers de bronze vont bientôt, dans l'allure des empereurs romains, s'établir sur les places des villes d'Europe, au seuil du XIVe siècle, avant-courriers d'une très longue cohorte. Pour le moment, c'est sur les murs des palais communaux que l'on place la silhouette des capitaines. Simone Martini a représenté dans sa gloire celui qui travaillait pour Sienne. Il a vaincu. Il pousse son cheval à travers la contrée adverse, dévastée, piétinée, gâtée. L'ennemi s'est tapi, tout hérissé dans ses retranchements. A l'horizon : un fantôme de cité, un squelette vide. La guerre a tout détruit. Mais derrière ce glacis de destruction, la commune victorieuse peut respirer, comme peut couler, au cœur de la ville, symbole de paix et d'abondance, la fontaine civique. En 1278, Pérouse commanda la sienne à Nicola Pisano. Celui-ci revêtit les flancs de ce monument municipal des mêmes symboles que les tailleurs d'images installaient alors aux porches des cathédrales de France, les saints, les patriarches, les signes du zodiaque, les travaux des mois, les sept arts libéraux. Il ajouta cependant d'autres figures, celle de la louve romaine, et il traita toutes les statues et tous les bas-reliefs à la manière latine. Car l'Italie du

Trecento rêvait obstinément de l'âge d'or, du temps où Rome, celle de César et non pas celle du pape, dominait le monde.

Cette nostalgie incitait à rejeter tout ce qui venait d'ailleurs et pour commencer l'épaisse chape dont la culture byzantine avait revêtu la péninsule italienne durant le haut Moyen Âge. Elle appelait une libération. Nationale. Deux hommes en furent au début du XIVe siècle salués comme les héros : un poète, Dante ; un peintre, Giotto. De Giotto, Cennino Cennini dit qu'il changea l'art de peindre du grec en latin. Du grec, un langage étranger, au latin, le dialecte autochtone. A vrai dire, Giotto n'était pas le seul. Certains l'avaient devancé. D'autres l'accompagnaient.

En 1311, les Siennois transportèrent en triomphe dans leur cathédrale un retable dédié à la Vierge, la Maestà, constitué, comme les iconostases des églises byzantines, de nombreux panneaux assemblés. Duccio venait de les peindre et sur un ton qui n'était plus celui des mosaïques palermitaines. La rupture est nette. Elle tient à la présence plastique des personnages. Refus du hiératisme. Liberté dans l'usage des couleurs : une émancipation. Ce que l'on connaissait à Sienne, au début du XIVe siècle, de l'art parisien la facilita. En effet, ce fut d'abord en s'appuyant sur une autre puissance culturelle étrangère que l'Italie secoua la tyrannie qui plus que toute autre l'opprimait. Simone Martini demeure très soumis aux formules gothiques. Il se les était appropriées dans Naples, servant des princes maintenant étroitement unis à la France capétienne. Par le trait nerveux, sinueux, par l'arabesque enveloppante, par tous les ornements gracieux de la fête courtoise, le carcan du byzantinisme apparaît cette fois totalement désarticulé dans les fresques dont Simone décora, avec les frères Lorenzetti, l'église inférieure d'Assise. L'esprit français, la courtoisie règnent sur ces images d'une vie de saint Martin (de Tours, qui est en France). Les cardinaux protecteurs de l'ordre franciscain avaient commandé cette narration. Or il ne faut pas méconnaître ce qu'il y a de festif dans le message franciscain. Francesco n'avait-il pas chanté que la nature est une fête offerte par Dieu à tous les hommes ? Au début du XIVe siècle, lorsqu'elle n'était pas cathare, l'Italie adhérait pleinement au franciscanisme. Celui-ci lui fit adopter ce qu'il y a de sensible dans le gothique et qui relie ses formes à celles, à la fois héroïques et parées, de la chevalerie. Saint Martin avait été soldat romain. Simone en fit un chevalier nouveau, recevant l'épée, les éperons, semblable à ces fils de banquiers de Florence que l'on adoubait au son des flûtes, le matin de la Pentecôte, dans la joie du printemps. Comme saint François lorsqu'il était jeune, comme tous les enrichis du négoce et de la guerre, les prélats qui dirigèrent la décoration de la basilique d'Assise rêvaient au fond d'eux-mêmes d'être des Lancelot, des Perceval. Ils se ruaient sur les modes de Paris. Ils les exagéraient même, leur ajoutant une pointe d'excès méridional. Toutefois, pour se dégager plus vite des contraintes byzantines, ne risquait-on pas de se laisser subjuguer par un autre pouvoir colonial ? Comment s'affirmer italien ?

Sur Giotto, l'influence du gothique n'est pas moins évidente. Il l'a reçue directement des statuettes que les marchands toscans apportaient de France, indirectement des sculptures pisanes. Mais de l'œuvre de Giovanni Pisano, il retint d'abord ce qu'elle ressuscitait de la majesté romaine et tout ce qui s'accordait à la ferveur des premiers humanistes de Toscane et de Vénétie pour l'antiquité latine. A Padoue, les héritiers d'un très grand financier avaient dû, pour le repos de son âme, édifier une chapelle. Ils invitèrent Giotto à décorer ses murs. Giotto découpe l'espace et le temps en phases successives, comme les mosaïstes de Palerme, comme Duccio. Car il raconte comme eux la vie du Christ. Pourtant il tient à placer chaque scène dans la tonalité affective qui la distingue ; il veut exprimer la joie, la sérénité, la douleur ; il cherche parmi la gamme des passions humaines celle qui convient et ce qui les rend toutes consonantes à l'humanité du Christ. C'est ainsi qu'il figure une part essentielle de la prédication franciscaine : la nécessité pour l'homme, pour l'homme quelconque, de vivre à l'unisson du Sauveur. Parce que nous sommes habitués à la scène à l'italienne, à voir l'acte théâtral encadré par cette sorte de fenêtre rectangulaire, nous pensons au théâtre, nous imaginons Giotto transférant dans la peinture les artifices du théâtre. Nous oublions que le lieu scénique n'était pas, en ce temps, aménagé de cette façon. Ce que l'on voit ici est une transformation géniale de l'espace pictural tel qu'il avait été jusque-là traité.

Giotto veut émouvoir. Il anime pour cela des personnages. Il lui faut donc ménager l'illusion d'un vide où ses acteurs puissent se grouper ou bien, seuls, déployer les gestes d'une mimique expressive. Il tend donc une toile de fond derrière eux. Elle est bleue. Mais ce bleu n'est pas, comme le donneraient à croire aujourd'hui les altérations chimiques du pigment, celui de l'atmosphère, du ciel vrai. Ce bleu est abstrait, autant que le fond d'or des mosaïques de Palerme ou des miniatures ottoniennes. Son rôle est de transporter la scène hors du quotidien. Quelques éléments de décor localisent le récit. Ce sont ceux de l'art roman, de la peinture byzantine, des idées d'arbres, de rochers, de constructions, de trônes. Ils ne doivent pas paraître, vis-à-vis du réalisme nécessaire au jeu des acteurs, d'une irréalité trop discordante. Par les moyens d'une perspective encore hésitante, le peintre s'efforce donc de signifier les trois dimensions de ces objets simples. Expressionnisme — celui des sermons franciscains — mais non point illusionnisme. S'il importait à Giotto de rendre convaincants les actes du drame, il lui importait davantage — parce que ce drame est sacré — de maintenir la distance entre eux et le public. Ils ont les apparences de la vie : les soudards qui gardent le tombeau du Christ dorment comme tous les militaires. Ils n'appartiennent cependant pas à ce monde-ci. Ils appartiennent à l'autre. La monumentalité de leur posture les y transporte, ce poids de statue qui immobilise leurs passions en fait des héros antiques. Giotto sut unir à l'art de peindre les valeurs de persuasion de l'art de sculpter. Par son génie, la peinture devint, pour des siècles, en Europe, l'art majeur.

Vitalité prodigieuse de l'art italien. Sur cette profusion, cette floraison de chefs-d'œuvre tomba d'un coup, en 1348, la catastrophe : l'épidémie de la peste noire. Ce fut le contrecoup de l'expansion européenne. Les germes de la maladie parvinrent en effet par la route même que Marco Polo avait remontée. Les navires marchands les amenèrent, depuis les comptoirs génois de Crimée, à Naples, à Marseille ; la cour d'Avignon, carrefour du monde, les dispersa. Les marées de la mort déferlèrent alors en grandes vagues saisonnières, gagnant peu à peu vers le Nord, jusqu'aux confins du monde habité. Faute de documents statistiques, les historiens ne peuvent estimer avec précision le nombre et la proportion des victimes. Le fléau frappa d'ailleurs très inégalement. Il semble que des provinces entières, la Bohême, par exemple, aient été épargnées ; ici tel village échappa, alors que là, à quelques kilomètres, un autre était anéanti, définitivement effacé du paysage. La peste était à la fois pulmonaire et bubonique. Les contemporains ne savaient rien des mécanismes de la contagion. Ils croyaient pourtant à une sorte de putréfaction de l'air et allumaient de grands feux d'herbes aromatiques aux portes des villes. Celles-ci furent les plus atteintes. Le mal se propageait mieux dans l'entassement des taudis insalubres. Il était aveugle. On était habitué à le voir faucher les enfants, les pauvres. Voici qu'il attaquait plutôt les adultes jeunes, en pleine vigueur et, ce qui était franchement scandaleux, qu'il attaquait aussi les riches. Les contemporains pensent que le tiers de la population européenne disparut dans ce fléau. Le jugement paraît conforme à ce que l'on peut vérifier dans l'ensemble. Le tribut payé par les très grandes villes fut certainement plus lourd. Voici pour Florence le témoignage d'une chronique : « La cruauté du ciel, et peut-être celle des hommes, fut si rigoureuse, que l'épidémie sévit de mars à juillet 1348 avec tant de violence, une foule de malades furent si mal secourus ou même, en raison de la peur qu'ils inspiraient aux gens bien portants, abandonnés dans un tel dénuement qu'on a quelque raison d'estimer à plus de cent mille le nombre d'hommes qui périt dans l'enceinte de la cité. Que de grands palais, que de belles maisons, que de demeures pleines autrefois de domestiques, de seigneurs et de dames virent enfin disparaître jusqu'aux plus humbles serviteurs. Que d'illustres familles, que d'imposants domaines, que de fortunes réputées restèrent privés d'héritiers légitimes. Que de valeureux seigneurs, de belles dames et de gracieux jouvenceaux prirent le repas du matin avec leurs parents, leurs camarades et leurs amis et, le soir venu, s'assirent, dans l'autre monde, au souper de leurs ancêtres. »

Imaginons, tentons d'imaginer, transposant, de nos jours : ce serait, dans des agglomérations comme celles de Paris, ou de Londres, quatre, cinq millions de morts en quelques mois d'été ; les survivants, éberlués, après des semaines d'épouvante, partageant les héritages, se retrouvant par conséquent moitié moins pauvres qu'ils n'étaient avant, se précipitant pour se marier, procréer : on remarque une prodigalité de naissances dans l'année qui suivit l'hécatombe. Les vides ne furent pas pour autant comblés : la maladie s'était installée ; elle rejaillit périodiquement tous les dix, vingt ans avec une rage égale. Que faire ? Il y avait de grands médecins auprès du pape d'Avignon, à Paris auprès du roi de France ; ils s'interrogeaient, anxieux, vainement. D'où vient le mal ? Du péché ? Ce sont les Juifs, ils

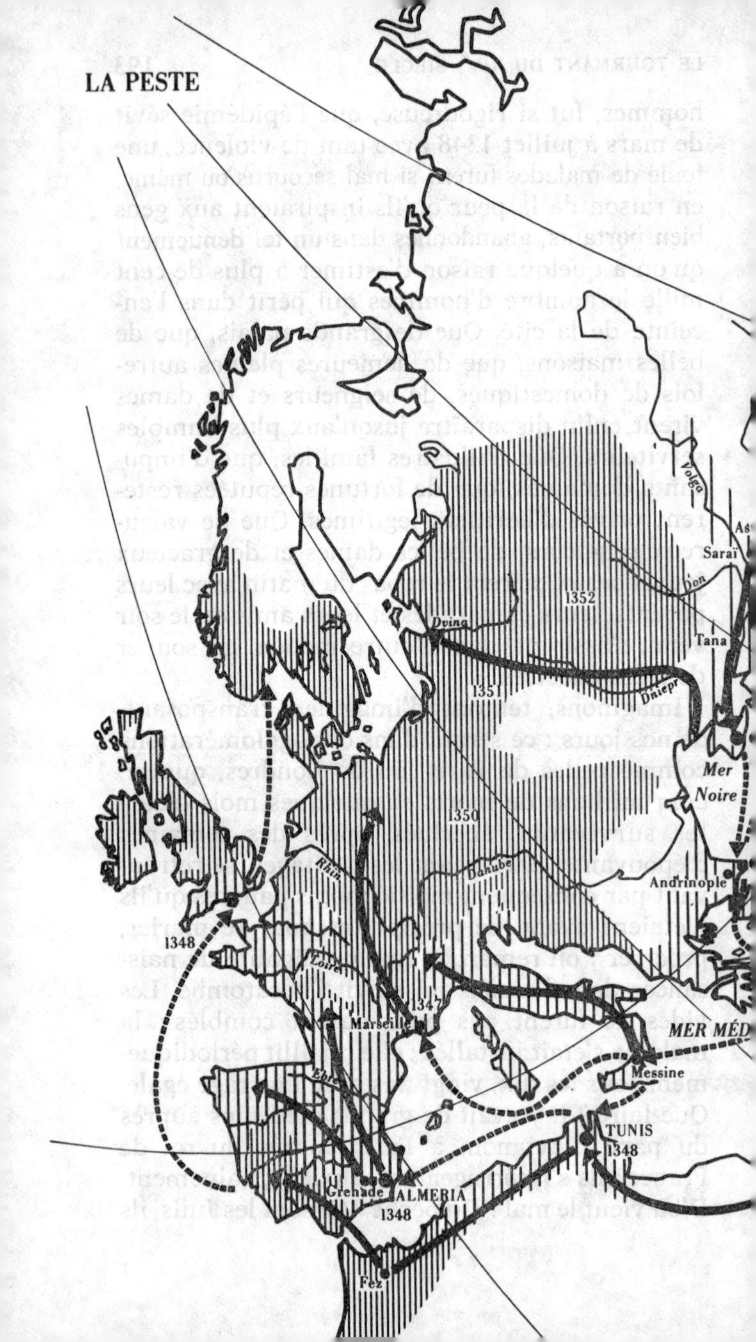
LA PESTE
Volga
Saraï
Don
Tana
Dvina
1352
1351
Dniepr
Mer
Noire
1350
Rhin
Danube
Andrinople
1348
Loire
1347
Marseille
MER MÉD
Messine
Ebre
TUNIS
1348
Grenade
ALMERIA
1348
Fez

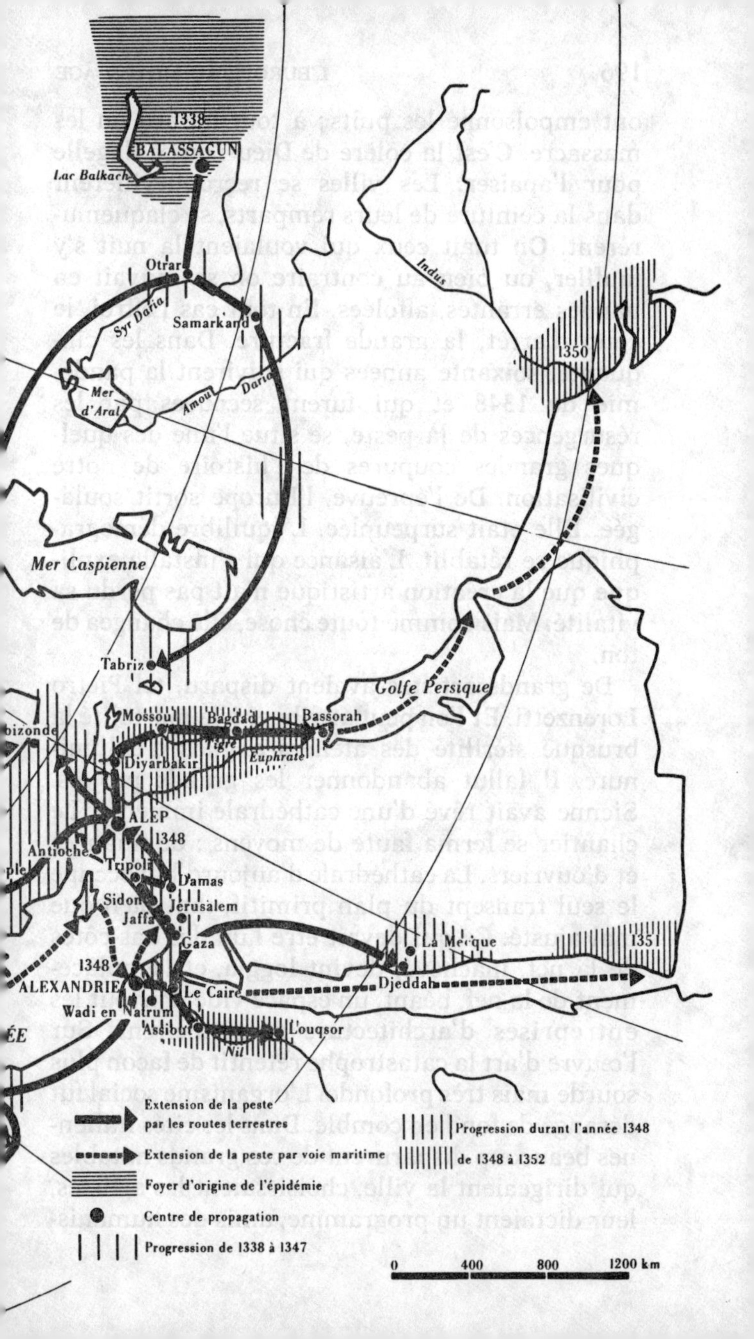
1338
BALASSAGUN
Lac Balkach
Otrar
Syr Daria
Samarkand
Mer d'Aral
Amou Daria
Indus
1350
Mer Caspienne
Tabriz
Golfe Persique
Mossoul
Bagdad
Bassorah
Tigre
Euphrate
Diyarbakir
ALEP
1348
Antioche
Tripoli
Damas
Sidon
Jerusalem
Jaffa
Gaza
La Mecque
1351
1348
ALEXANDRIE
Le Caire
Djeddah
Wadi en Natrum
Assiout
Louqsor
Nil
Extension de la peste par les routes terrestres
Extension de la peste par voie maritime
Foyer d'origine de l'épidémie
Centre de propagation
Progression de 1338 à 1347
Progression durant l'année 1348
de 1348 à 1352
0
400
800
1200 km

ont empoisonné les puits ; à tout hasard on les massacre. C'est la colère de Dieu : on se flagelle pour l'apaiser. Les villes se recroquevillèrent dans la ceinture de leurs remparts, se claquemurèrent. On tuait ceux qui voulaient la nuit s'y faufiler, ou bien au contraire on se sauvait en bandes errantes, affolées. En tout cas l'effroi, le coup d'arrêt, la grande fracture. Dans les cinquante, soixante années qui suivirent la pandémie de 1348 et qui furent secouées par les résurgences de la peste, se situe l'une des quelques grandes coupures de l'histoire de notre civilisation. De l'épreuve, l'Europe sortit soulagée. Elle était surpeuplée. L'équilibre démographique se rétablit. L'aisance qui s'installa explique que la création artistique n'ait pas perdu sa vitalité. Mais comme toute chose, elle changea de ton.

De grands artistes avaient disparu, tel Pietro Lorenzetti. Et l'on peut attribuer à la mortalité la brusque stérilité des ateliers anglais d'enluminure. Il fallut abandonner les grands projets. Sienne avait rêvé d'une cathédrale immense. Le chantier se ferma faute de moyens : de finances et d'ouvriers. La cathédrale d'aujourd'hui occupe le seul transept du plan primitif, tant bien que mal ajusté. Ce qui devait être l'un des bas-côtés de la nef, inachevé, devint loggia, et l'emplacement de la nef, béant, un espace vide. Partout les entreprises d'architecture se rétrécirent. Sur l'œuvre d'art la catastrophe retentit de façon plus sourde mais très profonde. L'organisme social fut dérangé de fond en comble. Dans les cités italiennes beaucoup disparurent de ces grands notables qui dirigeaient la ville, choisissaient les artistes, leur dictaient un programme, amis des humanistes, dont les manières policées et le christianisme très noble avaient inspiré la parfaite élégance de Simone Martini, la retenue, la gravité de Giotto. Ils furent remplacés par des parvenus, plus frustes. Ceci rend compte d'une infiltration de vulgarité qui se décèle après 1348 dans la peinture toscane : les artistes voulurent plaire à des hommes dont le goût était moins sûr et la foi moins strictement gouvernée par l'intelligence. Enfin le choc de la grande peste contribua à rompre l'unité de la haute culture. Elle n'est plus ensuite dirigée vers un seul but : s'avancer calmement, comme le chevalier de Bamberg, vers la joie parfaite, en assumant pleinement la condition humaine et par une égale discipline du corps et de l'esprit. Voici l'irruption divergente du macabre et de la futilité. Le pathétique franciscain s'était insinué dans le très grand art dès le début du XIVe siècle : les crucifixions d'Assise sont tragiques ; elles suscitent la compassion en montrant des corps tourmentés. Après la peste ces corps deviennent bientôt des cadavres, appelant par leur putréfaction et leur ricanement à profiter au plus vite de la vie.

C'est peut-être bien dans Avignon que l'on saisit le mieux l'effet de cette sorte d'éclatement de la sensibilité. Les papes avaient ouvert ici le plus grand chantier du siècle, rassemblant les plus célèbres peintres alors vivants. Des fresques dont Simone Martini décora les murs de la cathédrale, il ne reste plus que les esquisses préparatoires au rouge de Sinope, dessinées sur l'enduit ; ces dessins admirables traduisent le meilleur de la spiritualité gothique ; ils montrent la Vierge, le Christ dans la majesté, la noblesse qu'on leur voit sur les porches des églises d'Ile-de-France. L'épidémie passée, un autre Italien, Matteo Giovanetti de Viterbe, prit la direction de l'équipe de décoration. Par lui s'acheva la synthèse entre l'esthétique parisienne et celle de l'Italie centrale. Mais dans le fonds gothique, il puisa principalement ce qui pouvait donner de la joie. Une joie de surface que méprisaient le christianisme rationnel et théologien de Paris, le christianisme stoïque des admirateurs de Giotto. Et dans la tour de la garde-robe, le pape Clément fit disposer sur les murs de sa chambre un décor de verdure, de vergers, de piscines. Le décor des jardins de Palerme. Il entendait jouir du monde comme en avait joui Frédéric II. Profanation.

Boccace a situé les contes plaisants du « Decameron » dans une villa de la campagne florentine. Fuyant la cité où la peste noire fait rage, des jeunes gens et des jeunes femmes s'y sont réunis. Pour oublier, ils hésitent entre la rêverie mystique et le plaisir. Secrètement, ils confessent leurs péchés. Dans l'assemblée, ils affectent de rire, ne parlent que de l'amour, gaillard ou chevaleresque. S'étourdir dans la fête, se faire soi-même, ici-bas, son paradis. Un paradis profane où, d'une rive à l'autre du ruisseau, l'homme et la femme se tendraient la main.

Ordonnance de Jean le Bon promulguée en février 1351.

« Jean par la grace de Dieu, Roy de France, etc.

« 1. Pour ce que plusieurs personnes, tant hommes que femmes, se tiennent oiseux parmi la ville de Paris, et es autres villes de la Prevosté et Vicomté d'icelle, et ne veulent exposer leurs corps à faire aucunes besongnes, ains truandent les aucuns, et les autres se tiennent en tavernes et en bordeaux ; est ordonné que toute maniere de telles gens oiseux, ou joueurs de dez, ou enchanteurs es rues, ou truandans, ou mandians, de quelque estat, ou condition, qu'ils soient, ayans mestier ou non, soient hommes ou femmes, qui soient sains de corps et de membre, s'exposent à faire aucunes besongnes de labeur, en quoy ils puissent gaigner leur vie, ou vuident la Ville de Paris, et les autres villes de ladite Prevosté et Vicomté, dedans trois jours aprés ce cry. Et si aprés lesdits trois jours ils y sont trouvez oiseux, ou jouans aux dez, ou mandians, ils seront prins et menez en prison au pain, et ainsi tenuz par l'espace de quatre jours ; et quant ils auront esté delivrez de ladite prison, s'ils sont trouvez oiseux ou s'ils n'ont biens dont ils puissent avoir leur vie, ou s'ils n'ont aveu de personne suffisans, sans fraude, à qui ils facent besongnes, ou qu'ils servent, ils seront mis au pillory ; et la tierce fois ils seront signez au front d'un fer chaud, et bannis desdits lieux.

« 2. *Item,* on pourchassera avec l'evesque, ou official de Paris, et avec les religieux Jacobins, Cordeliers, Augustins, Carmelites et autres, qu'ils disent aux frères de leur ordre que, quand ils sermoneront es paroisses et ailleurs, et aussi les curez en leurs propres personnes, ils dient en leurs sermons que ceux qui voudront donner aumosnes, n'en donnent a nuls gens sains de corps et de membres, n'a gens qui puissent besongne faire, dont ils puissent gaigner leur vie ; mais les donnent a gens aveugles, mehaignez et autres miserables personnes.

« 3. *Item,* qu'on dise a ceux qui gardent et gouvernent les hopitaux ou maisons-Dieu qu'ils ne hebergent tels truans, ou telles personnes oiseuses, s'ils ne sont mehaignez ou malades ou pauvres passans, une nuict seulement.

« 4. *Item,* les prelaz, barons, chevaliers, bourgeois et autre disent a leurs aumosniers qu'ils ne donnent nulles aumosnes a tels truans sains de corps et de membres. »

« *Ordonnances des rois de France.* »

La peste noire en Sicile, 1347.

« Voici que, en octobre de l'année de l'Incarnation du Seigneur 1347, vers le début du mois d'octobre, 1re indiction, des Génois, sur douze galères, fuyant la colère divine qui s'était abattue sur eux en raison de leur iniquité, accostèrent au port de la ville de Messine. Les Génois transportaient avec eux, imprégnée dans leurs os, une maladie telle que tous ceux qui avaient parlé à l'un d'entre eux étaient atteints de cette infirmité mortelle ; cette mort, mort immédiate, il était absolument impossible de l'éviter. Voici quels étaient les symptômes de la mort pour les Génois et les gens de Messine qui les fréquentaient. En raison d'une corruption de leur haleine, tous ceux qui se parlaient, mêlés les uns aux autres, s'infectaient l'un l'autre. Le corps semblait alors presque tout entier secoué, et comme disloqué par la douleur. De cette douleur, de cet ébranlement, de cette corruption de l'haleine, naissait sur la cuisse ou sur le bras une pustule de la forme d'une lentille. Elle imprégnait et pénétrait si complètement le corps que l'on était pris de violents crachements de sang. Les expectorations duraient trois jours sans discontinuer, et l'on mourait quels que soient les soins. La mort ne touchait pas seulement ceux qui leur parlaient, mais également tous ceux qui achetaient de leurs affaires, les touchaient ou les approchaient. Comprenant que cette mort soudaine s'était abattue sur eux à cause de l'arrivée des galères génoises, les gens de Messine les chassèrent en toute hâte du port de la cité susdite, mais ladite infirmité demeura dans la ville susdite, et il s'ensuivit une mortalité absolument générale. On se haïssait l'un l'autre à un point tel que si un fils était atteint dudit mal, son père refusait absolument de rester à ses côtés, et s'il avait osé s'approcher de lui, il était si bien pris par le mal qu'il ne pouvait en aucune manière échapper à la mort : dans les trois jours, il rendait l'esprit. Et des gens de sa maison il n'était pas le seul à mourir : les familiers de la maison, les chiens, les animaux existant dans ladite maison, tous suivaient le père de famille dans la mort. Ladite mortalité prit une telle ampleur à Messine qu'ils étaient nombreux à demander à confesser leurs péchés aux prêtres et à faire testament; mais les prêtres, les juges et les notaires refusaient d'entrer dans les maisons et si l'un d'entre eux entrait dans une demeure pour rédiger un testament ou un acte de cette nature, il ne pouvait en rien éviter une mort soudaine. Et, comme les frères mineurs, les prédicateurs et les frères des autres ordres voulaient pénétrer dans la maison desdits malades, recevoir la confession de leurs péchés et leur donner l'absolution, la mortalité meurtrière, selon le vouloir de la justice divine, les infectait si complètement que quelques-uns à peine survécurent dans leurs cellules. Que dire de plus ? Les cadavres restaient abandonnés dans les maisons, et aucun prêtre, aucun fils, aucun père, aucun proche n'osait y pénétrer : on donnait aux croquemorts un salaire considérable pour porter lesdits cadavres dans leurs tombes. Les maisons des défunts restaient grandes ouvertes avec tous leurs joyaux, leur argent, leurs trésors ; si l'on voulait y entrer, personne n'interdisait l'accès. [...]

« Les gens de Messine, devant ce coup terrible et incroyable, choisirent de fuir la ville plutôt que d'y mourir, et l'on interdisait à quiconque, non seulement d'entrer en ville, mais même d'en approcher. Hors des villes, ils établirent pour leurs familles des abris sur les places et dans les vignes. Certains, et ils étaient les plus nombreux, gagnèrent la ville de Catane avec l'espoir que la bienheureuse Agathe, la vierge de Catane, les délivrerait de cette infirmité. [...]

« Les gens de Messine se dispersèrent donc dans toute l'île de Sicile, et quand ils arrivèrent dans la ville de Syracuse, ce mal frappa si fort les Syracusains qu'il en tua plusieurs, ou plutôt un nombre immense. La ville de Sciacca, la ville de Trapani, la cité d'Agrigente furent frappées comme Messine de cette même peste, et particulièrement la ville de Trapani qui resta comme veuve de sa population. Que dirons-nous de la cité de Catane maintenant disparue des mémoires ? La peste qui se répandit dans cette ville était si forte, que ce n'étaient pas seulement les pustules, que l'on appelait anthrax, mais aussi des glandes qui se formaient dans les différentes parties du corps, tantôt dans la poitrine, tantôt sur les jambes, tantôt sur les bras, tantôt dans la région de la gorge. Ces glandes étaient au début comme des amandes, et leur formation était accompagnée d'une grande sensation de froid. Elles fatiguaient, elles épuisaient si fort l'organisme, que les forces manquaient pour rester plus longtemps debout, et qu'on s'alitait fébrile, abattu et rempli d'angoisse. Puis ces glandes grossissaient comme une noix, puis comme un œuf de poule ou d'oie. Elles étaient très douloureuses. La corruption des humeurs qu'elles entraînaient dans l'organisme faisait cracher le sang. Ces crachats, remontant du poumon infecté jusqu'à la gorge, corrompaient l'organisme. L'organisme corrompu, les humeurs desséchées, on mourait. Cette maladie durait trois jours. Vers le quatrième jour, les malades étaient libérés des affaires humaines. Les gens de Catane, quand ils se rendirent compte que ce mal était si foudroyant, dès qu'ils ressentaient un mal de tête, ou un frisson, commençaient par confesser au prêtre leurs péchés, après quoi ils rédigeaient leur testament. C'est pourquoi, tous ceux qui mouraient, l'opinion générale était qu'ils étaient reçus sans discussion dans les demeures divines. »

Michel de Piazza (mort en 1377),
« Historia Secula ab anno 1337 ad annum 1361 ».

Recettes.
Civé de lièvre.

Premièrement fendez le lièvre par la poictrine : et s'il est de fresche prise, comme d'un ou de deux jours, ne le lavez point, mais le mettez harler sur le greil, *id est* roidir sur bon feu de charbon ou en la broche ; puis aiez des oignons cuis et du sain en un pot, et mettez vos oignons avec le sain et vostre lièvre par morceaulx, et les friolez au feu en hochant le pot très souvent, ou le friolez au fer de la paelle. Puis harlez et brulez du pain et trempez en l'eaue de la char avec vinaigre et vin : et aiez avant broyé gingembre, graine, giroffle, poivre long, noix muguettes et canelle, et soient broyés et destrempés de vertjus et vinaigre ou boullon de char ; requeilliez, et mettez d'une part. Puis broyez vostre pain, deffaites du boullon, et coulez le pain et non les espices par l'estamine, et mettez le boullon, les oignons et sain, espices et pain brulé, tout cuire ensemble, et le lièvre aussi ; et gardez que le civé soit brun, aguisé de vinaigre, attrempé de sel et d'espices.

Nota. Vous cognoistrez l'aage d'un lièvre aux trous qui sont dessoubs la queue, car pour tant de pertuis tant d'ans.

Héron.

Plumez-le, et le videz ; ensuite vous chercherez six amères qui sont sur son corps, et un autre faisant le septième qui est au-dedans ; troussez les jambes le long des cuisses, faites-le blanchir sur le feu, et le piquez, enveloppez le col avec du papier beurré, puis le faites rôtir, et étant cuit, servez.

Faon de biche.

Avant que d'être trop mortifié, habillez-le bien proprement, le troussez, et ôtez quelques peaux qui sont par-dessus, et paraissent comme de la glaire ; puis le faites blanchir sur le feu pour le piquer, en sorte qu'il ne soit trop blanchi, d'autant que cela vous causerait trop de peine à larder. Prenez aussi garde de brûler la tête ou que le poil n'en devienne noir. Mettez-le à la broche, et enveloppez la tête avec un papier beurré. Étant cuit, servez avec une poivrade.

« Le Ménagier de Paris », fin XIVe siècle.

Le bonheur

A Pise, près de la cathédrale, à proximité du baptistère, fontaine de vie, on avait au XIIIe siècle construit pour les morts le champ du repos, le Campo Santo. Un cloître où, par une confluence esthétique dont les rivages méditerranéens étaient alors naturellement le lieu, la légèreté des arcatures gothiques s'accorde parfaitement à la tradition romane. Cette cour intérieure est austère autant que les cloîtres cisterciens. Elle n'est pas aménagée pour des moines, mais pour des corps défunts, attendant la résurrection. Elle est remplie de silence et de sépulcres. Sur l'une des travées une fresque fut peinte vers 1350. Elle illustre un sermon, une prédication édifiante construite sur un très vieux thème : l'histoire des trois morts et des trois vifs. Trois chevaliers très riches et très heureux sont allés chasser dans la forêt ; leur troupe bute tout à coup sur trois sarcophages ouverts montrant trois cadavres pourrissants, grouillant de vers. Au plus fort du plaisir de vivre, le tête-à-tête stupéfiant avec la mort, avec la décomposition de la chair : notre corps est mortel ; demain, tout à l'heure, il va retourner à la poussière, devenir cette chose répugnante, une charogne. Sur cette horreur, la révulsion suscitée par ce spectacle, se construit l'exhortation à se repentir.

Pour garder leurs ouailles du péché, les prédicants du XIVe siècle ont inlassablement ravivé cette angoisse : « Vous êtes jeunes. Vous jouez, vous aimez les chansons, la danse, vous aimez l'amour. Attention : la mort est là, elle plane sur vos réjouissances, invisible, imprévisible. Vous ne lui échapperez point. Elle est en vous : le vers dans le fruit. » De ces paroles sourd l'inquiétude que l'on voit sur ces visages. Ces garçons et ces filles se forcent à plaisanter. Peine perdue : à la vie, à la chair, colle cette anxiété, la culpabilité que les directeurs de conscience entretiennent. Le sourire, la sérénité des statues de Reims se sont dissipés, tandis que la chrétienté, docile, apprenait la contrition. La peur. Cette peur est naïve, toute nue, chez les bêtes. Voyez, sur la fresque, le retrait des chevaux. Voyez leurs yeux. La morale de l'histoire est inscrite sur la seconde face de la composition picturale : mourir, c'est trépasser. Franchie le pas. Aller au-delà. Vers quoi ? Vers les lieux que Dante a visités : le purgatoire, l'enfer, le paradis. Si vous êtes bien préparé, si vous avez vécu comme le veut l'Église, vous prendrez place parmi les saints, même si vous êtes un pauvre, même si vous êtes une femme. Avec les rois, les cardinaux, les patriciens, dans l'ordre, pour l'éternité. Là, dans le ciel, pour les élus plus d'inquiétude. La délivrance.

L'enfer, le ciel, le Jugement dernier : l'art sacré, le grand art, depuis l'an mil, n'avait parlé que de cela, mais sur un autre registre, liturgique, théologique. Peu à peu, pas à pas, au fil des siècles de la croissance, dans le grand élan d'optimisme, l'angoisse s'était retirée. Les savants de la haute Église, par le raisonnement, la méditation mystique étaient parvenus à bannir ce que la mort a d'horrifiant. Ils avaient apprivoisé la mort, dissimulé le cadavre sous les silhouettes rassurantes de la résurrection. La peur au XIVe siècle revient au galop. La mort est de nouveau tragique : un gouffre noir, béant. Pourquoi ? Cela tient aux circonstances. Le progrès de toutes choses qui poussait en avant les conquêtes paysannes a pris fin. L'Europe se trouve confrontée à la récession, au sous-emploi, à la guerre, à la peste. Malheur des temps. Peut-on pourtant parler de repli, de décadence ? Les mortalités ont purgé la société de ses excédents. On vit mieux. La preuve ? Il n'y eut jamais autant de peintres, de sculpteurs, d'orfèvres. Tous prospères : l'œuvre d'art prolifère. Elle est entrée dans le commerce, devenue un objet de consommation courante. C'est bien là ce qui provoque le changement de tonalité dont je parle. Parce que les structures de l'État prennent continuellement plus d'aplomb, parce que l'impôt capture de mieux en mieux la richesse et la met aux mains des détenteurs de la puissance laïque, parce que ceux-ci ouvrent leurs mains, distribuent l'argent parmi leurs fonctionnaires, leurs banquiers, les grands négociants fournisseurs de leur cour, l'entreprise artistique cesse d'être le fait des prélats, des théologiens, des intellectuels. Elle est toujours dirigée par les rois, mais des rois qui se dégagent de l'emprise des prêtres. Elle est surtout dirigée par les frères, les cousins des rois, par les princes du sang, par les nobles de leurs maisons. Elle l'est par les patriciens des grandes capitales. Ces hommes ne sont pas sacrés. Ils sont tout simplement riches. Le décor qu'ils demandent aux artistes de dresser n'est plus celui des liturgies, mais de la vie profane. Et les objets merveilleux qui sortent des grands ateliers, d'autres artistes sans génie les copient pour une clientèle de moindre volée ; ils en offrent des répliques, vulgarisées, moins subtiles, capables de toucher ces enrichis qui gauchement singent les manières des princes. Laïcisation, vulgarisation : ainsi s'expliquent les traits nouveaux dont l'art du XIVe siècle est marqué.

Plus de cathédrales : elles sont toutes bâties. Il reste à leur adjoindre seulement des ornements annexes. La création cesse de s'appliquer à des ouvrages communautaires. L'œuvre d'art réduit ses dimensions. Elle devient un objet. D'appropriation individuelle. On le possède, on veut l'avoir à soi, dans son patrimoine, le tenir dans ses mains, pour sa propre délectation — personnelle : on l'a payée de ses propres deniers. Les formes de la cathédrale maintiennent leur emprise. Mais en se rapetissant. D'abord, aux dimensions de la chapelle, de petites chambres de prière disposées pour la dévotion privée, domestique. Chapelles de princes, encore majestueuses. Mais, dans chaque demeure aristocratique, des chapelles aussi, beaucoup plus simples ; et le long des bas-côtés des grandes églises, alignées, la multitude des chapelles nobles, patriciennes, chacune timbrée des armoiries d'un lignage, sa possession. Jusqu'à cette époque, l'architecture était l'art majeur. Tout lui était subordonné. Elle cède le pas. A l'orfèvrerie en particulier, qui s'approprie, miniaturisé, le décor des grands monuments de l'âge antérieur. Beaucoup de ces bijoux, les reliquaires, les croix processionnelles, les monstrances servent encore à des liturgies publiques. La plupart cependant sont le soutien d'une piété individuelle, telles les statuettes, les plaques d'ivoire que l'on façonne à Paris et qui sont vendues dans toute l'Europe, sur quoi se projettent les arcatures, les gables, toute la trame ornementale héritée de la haute architecture. Aux termes de cette descente vers le populaire, le fantôme d'une cathédrale schématique, ultime rémanence de ce qui fut au XIIIe siècle l'esthétique majeure, sert de cadre aux images de la xylographie, dérisoire trésor des plus pauvres. Du monument vers le petit objet, c'est un premier mouvement d'ensemble.

Le second fait apparaître ce que pensaient, ce que sentaient les laïcs, et dont l'art, le grand art, celui dont nous conservons les traces, n'avait jusque-là rien montré. Il traduisait en effet la pensée, le sentiment des grands clercs. Au XIVe siècle, le rideau se lève. Se découvre alors le retentissement dans les consciences laïques des sermons franciscains et dominicains. Parlant sans cesse de la mort, les frères prêcheurs, les frères mineurs stimulaient simultanément le désir de faire pénitence et l'appétit du plaisir. La piété, la fête : les deux pôles opposés — en fait, s'équilibrant, complémentaires — d'une culture laïque dont l'art nouveau révèle pour la première fois l'étoffe. Une piété toujours plus intime, jusqu'à l'égoïsme. Une fête qui a tendance elle aussi à se retrancher du naturel, du collectif, à s'enfermer, de plus en plus, comme la prière, dans les lieux clos de l'illusion.

De la piété et de la fête, ce sont les princes qui donnent le ton. Voici, vers 1400, le plus fastueux de ces princes, le duc Jean de Berry. C'était l'oncle de Charles VI de France, le roi fou, mais d'une folie entrecoupée de rémissions, et qui par conséquent restait roi. Ses oncles le laissaient là, fantoche. Eux profitaient de sa richesse, les mains plongées dans le plus riche trésor d'Europe. L'or de l'impôt, l'or du royaume, le duc d'Anjou, le duc de Bourgogne, mégalomanes, l'utilisaient à conquérir des territoires. Jean de Berry était un jouisseur, il s'en servait pour son plaisir. Comme son père Charles V, il aimait passionnément les beaux objets. En particulier les livres. De sa collection, la plus belle pièce : les « Très Riches Heures ». Un livre de prière justement. Voici le nouveau christianisme : les laïcs prient comme seuls autrefois priaient les moines, au fil des heures canoniales, suivant l'office sur un livre. Car l'usage se prend de la lecture, d'une lecture qui devient muette, personnelle. Comme l'est aussi l'oraison.

Objet de piété, ce livre est en outre un objet d'art. Vers 1415, Jean de Berry chargea différents peintres, ses serviteurs, qu'il nourrissait de ses largesses, d'en décorer l'une après l'autre les pages, constituant ainsi comme une galerie de peinture, ce qu'est pour nous un musée. Mais secret, fermé, possession jalouse du mécène, l'équivalent par conséquent de ce que furent plus tard, de ce que sont aujourd'hui les collections des amateurs. Le livre s'ouvre, comme s'ouvraient les cathédrales, sur un calendrier : les douze mois, et les travaux paysans qui les symbolisent. En toile de fond, des paysages, des champs, des bois, des rivières, mais non pas agglomérés, aplatis comme les peignait un demi-siècle auparavant Ambrogio Lorenzetti — baignés d'atmosphère, profonds, lumineux. Vivants.

A l'horizon de chacun d'eux, un château, l'une des demeures où la cour du duc Jean vient successivement faire étape : Lusignan, Saumur, Étampes, Riom, Dourdan et Poitiers, le Palais de Paris, le Louvre, Vincennes. De l'un à l'autre de ces séjours le voyage est un plaisir. Celui que prenaient les pèlerins de l'an mil, mais sans prétexte religieux. Précédés de hérauts, de fanfares, des élégants, des élégantes paradent, rivalisant de fanfreluches, et tous les raffinements des métiers s'appliquent à sophistiquer leur toilette. Au centre de l'art courtois, situons en effet la haute couture, qui travestit le corps, l'enveloppe d'irréel, exhibe, masque tour à tour les attraits du corps, féminin, masculin. La fête est d'abord cela : se costumer d'extravagance. Accumuler sur soi l'insolite et l'inutile, ce que le monde a de plus riche et de plus vain. L'or et les pierres précieuses que les chrétiens du XIe siècle, que Suger, que Saint Louis encore amoncelaient autour des reliques, les voici qui maintenant sont semés, chatoyant, sur la chair des chevaliers, des demoiselles. Pour la joie.

Joie d'être riche. Jouir, jouer. Dès que le gouvernement de la création artistique échappe aux mains des prêtres, passe aux mains des princes, la part ludique de la culture chevaleresque se découvre enfin pleinement. Intoxiquée, la haute société du XIVe siècle l'est véritablement par les romans de chevalerie. L'un suivant l'autre, les chefs d'État instituent autour de leur personne des ordres de chevalerie, la Jarretière, Saint-Michel, la Toison d'Or ; ils veulent mimer, avec quelques compagnons choisis, les vertus, les prouesses ritualisées des héros de la Table Ronde. Ces liturgies, où le profane se conjoint au sacré, les éloignent toujours plus de la réalité, c'est-à-dire du peuple. Tout le populaire est rejeté, nié. Soit, comme le sont les paysans dans le calendrier des « Très Riches Heures », grimés, annexés, embrigadés parmi les figurants de la fête, exorcisés. Soit, au contraire, bestialisés, comme ils apparaissent dans telle miniature illustrant un livre de chansons populistes ; singerie cette fois, non plus bergerie, et le burlesque transgressant les frontières du sacrilège. Le peuple est néantisé parce que les gens bien le redoutent ; ils le tiennent prudemment à distance des trois plaisirs de la chevalerie : la chasse, la guerre, l'amour.

Mener les faucons, les chiens, forcer les bêtes sauvages — comme on les voyait forcées dans la broderie de Bayeux —, la vénerie fut peut-être le premier des « arts » aristocratiques. C'est en tout cas le plus ancien ; les jeunes rois mérovingiens y prenaient déjà leur divertissement. Gaston Phébus, comte de Foix, écrivit lui-même, comme jadis Frédéric II, un traité de la chasse. Car la chasse est jeu de princes ; il appartient donc aux princes d'en enseigner les règles, comment se reconnaître parmi tous les signes, les appels de trompe, les brisées, les refuites ; comment soigner les chiens, les oiseaux, tendre des filets, des pièges. A cela la noblesse passe le plus clair de son temps : s'aventurer au plus touffu de la nature forestière, se perdre. Joie brutale du corps exténué. Dangereuse : combien de gentilshommes se rompirent alors le col, les membres, attrapèrent la mort, suant sang et eau, dans des poursuites effrénées, téméraires. En compagnie des veneurs, leurs camarades, leurs complices, et, pour la curée, des dames.

Combattre est une autre façon de jouer qui ne diffère pas sensiblement de la chasse. Omniprésente, la guerre a pris au XIVe siècle de l'atrocité : guerre de Cent Ans et guerres civiles : les Armagnacs, les Bourguignons, et ces grandes compagnies ravageuses qui brûlent et tuent sauvagement. La mort est partout. Guettant. Les princes royaux comme les autres : Orléans, Bourgogne assassinés, et les vengeances qui s'enchaînent. La guerre maintenant fait peur. Son vrai visage, Jean Colombe l'a montré sur l'un des feuillets des « Très Riches Heures », face aux prières du vingtième nocturne des morts : les combattants qui reculent terrifiés, l'armée des spectres, rangés en bataille, qui s'avancent pas à pas, invincibles, sous la conduite du cheval blême. C'est donc dans l'illusion, le simulacre, que le plaisir se réfugie, et l'on a déguisé la guerre, comme l'ont été les forteresses, coiffées d'un décor hérissé d'arabesques, claquant de flammes et de bannières, de tout le flamboiement des panaches. Le tournoi est le combat transformé en fête, réglementé. Un autre prince, René d'Anjou, a composé et peut-être illustré de sa main un « Livre des tournois ». Autre science. Tout gentilhomme se doit d'en être expert autant qu'il l'est de la vénerie : ce savoir est un privilège, il distingue des autres hommes une élite de cavaliers masqués. Le traité s'ouvre donc par un inventaire des champions tous très nobles : des armoiries, des devises, des cris de guerre ; c'est le Gotha du XVe siècle. Il décrit ensuite leur panoplie bruissante, qui de chaque tournoyeur fait un grand scarabée lourd, cliquetant, hérissé d'épines. Et pourtant, dans chacune des pièces de cette étincelante carrosserie, le même souci d'élégance, et toujours plus de superfluité. De tout cela, on fait montre dans des réunions qui se succèdent au long de la saison sportive. Les princes sont les ordonnateurs de ces liturgies cavalières. Ils en ont fixé le jour. De toutes parts accourent les chevaliers, en bandes. Leur entrée dans la ville parée est triomphale. Ils s'exposent déjà, ils s'exhibent. Prélude musical. Appels des hérauts d'armes, distribution d'insignes ; le jeu commence, sous le regard des femmes. Pour une part, c'est encore comme au XIIe siècle, un sport d'équipe. Dans une mêlée confuse s'affrontent deux ou trois camps. Servis par les valets, les sergents, comme à la guerre, les chevaliers cherchent à faire des prisonniers, rêvent de rançon, de butin. Le plein de la fête est pourtant dans les combats singuliers, les joutes. Chacun peut alors savourer la virtuosité de ce que Jean Froissart appelle les « apertises d'armes », des démonstrations d'adresse et de force qui valent aux meilleurs la gloire et le prix. Parades quasi nuptiales, danses amoureuses des mâles devant les dames. Le jeu de combattre est-il, en fin de compte, autre chose que l'une des péripéties d'un autre jeu, le jeu d'amour ?

C'est en effet dans l'amour noble, l'amour courtois — c'est-à-dire dont les gens de cour ont le monopole — que culmine au XIVe siècle la fête chevaleresque. Par les égarements de l'érotisme avant tout — la fresque du Campo Santo en fait foi — l'aristocratie s'efforce de tromper sa peur de la mort. Un jeu encore, dont les règles se sont peu à peu fixées trois cents ans, deux cents ans plus tôt : choisir sa dame, porter ses couleurs, la servir comme un vassal sert son seigneur, attendre ses dons, la conquérir. Lorsque, passé 1300, le grand art se laïcise, il décrit inlassablement les rites du jeu d'amour. Ce jeu se mène lui aussi volontiers en plein air. Ne lui conviennent cependant ni le champ nu des joutes, ni les futaies des chasses, mais le verger, les jardins clos, comme ceux de Saint-Pol, à Paris, au Marais, où le roi de France, abandonnant le Louvre et la Cité, avait en 1400 choisi de résider : des frondaisons de fantaisie, des buissons de roses, l'équivalent profane des cloîtres monastiques. La nature s'y trouve également enfermée, domestiquée. Les brises, les parfums de l'herbe et des sources, capturés, possédés, comme sont possédés les bijoux, appelés comme ceux-ci en renfort de l'exultation. Dans l'émoi devant les merveilles de la création, l'esprit de la courtoisie et l'esprit du franciscanisme se rencontrent.

Pour pénétrer dans les enclos du délassement, pour s'approcher des pucelles aux chapeaux de fleurs, l'homme courtois a dû laisser ses chevaux, son armure, sa dague, revêtir un autre personnage, à demi féminin, des robes. Il contient la brusquerie de ses gestes. Dans ses atours charmants il s'efforce à la grâce, s'essaie à d'autres virevoltes, observées, critiquées, couronnées, comme le sont celles des champions dans les tournois. De la joute amoureuse, les tailleurs d'ivoire parisiens ont figuré avec soin les phases sur les revers de miroirs ou les boîtes à parfums : rencontre ; échange en premier lieu de regards ; les passes d'armes sont d'abord de coup d'œil, le rayon, la flèche assassine dardée, plongeant enflammer le cœur. Vient alors le devis : l'homme et la femme côte à côte, sur le même banc, comme le Christ et la Vierge, au tympan des cathédrales, dans les scènes du couronnement. Enfin le jeu des mains, les caresses, la règle imposant de ne pas forcer la dame, à celle-ci de céder peu à peu, de prendre en un certain point les devants, initiatrice. J'ai dit laïcisation de l'art, invasion des valeurs profanes. Mais dans des cadres qu'a légués l'art sacré. Les formes, les thèmes de l'iconographie d'Église sont l'un après l'autre réemployés, et l'arbre du paradis, de la faute d'Adam, de la tentation devient sans peine celui du bonheur.

Ambiguïté. Par la surimposition des rites du plaisir et de ceux de la dévotion, l'art nouveau ne traduit rien d'autre que l'indissociable connexion de l'anxiété et de la jouissance. Le peintre du Campo Santo de Pise, génial, en a marqué la physionomie des jeunes femmes dans le jardin d'amour. Sur un tel entrelacement de la prière et du jeu se construit en effet l'existence de tous les hommes et de toutes les femmes dans la haute société de l'époque. Prolongeant les méditations de saint Bernard sur l'incarnation, les jubilations de François d'Assise devant les beautés naturelles, les plus austères théologiens de l'université professent maintenant que la connaissance se développe dans deux directions, la voie mystique et la voie charnelle, légitimant ainsi, dans le quotidien, le dédoublement des attitudes. Les seigneurs de la cour de France, ceux de Windsor, de Prague, de Naples s'étourdissaient, mais en tremblant, sachant bien que le monde qu'ils croyaient saisir à plein bras s'ouvre sur la nuit, l'effroi, sur la mort et sur les rives incertaines dont elle est le seuil. Ceci les provoquait à raffiner alternativement dans le plaisir et les macérations ascétiques. Alternance. Au sortir des bals, au sortir des tournois, les dames et les princes allaient se jeter dans une cellule, une chapelle, s'abîmer devant l'image du Crucifié. Le grand art, jusque-là, n'avait montré que l'un des côtés de la vie, le monastique, le clérical. Il reflète enfin la totalité de la culture, sa dualité.

Aux mêmes artistes, chargés d'orner leurs nefs, leurs armures et le corps de leurs amoureuses, les mécènes demandèrent des images capables de rendre leur prière plus fervente, de les rapprocher de Dieu, chacun d'eux pour soi, de stimuler cette ardeur dévote, « moderne » comme on disait, c'est-à-dire individuelle. Les accessoires de la piété ont donc rempli l'art de cour. Très précieux ; mal distincts des bijoux profanes. Des reliquaires, puisque l'on croyait plus que jamais, dans le monde laïc, aux pouvoirs protecteurs, salvateurs des corps saints ; puisqu'on n'allait pas seulement les visiter dans les cryptes, puisque l'on en voulait des fragments dans sa chambre, près de soi, sur soi, portés comme des amulettes. On aimait à porter aussi, pour se garder du mal, l'image rédemptrice du Christ en croix ; placer près de soi, tutélaire, l'effigie des anges gardiens et, pour des oraisons intimes, à l'heure du danger, de l'inquiétude, ou tout simplement aux heures prescrites par le rituel de dévotion, des triptyques, des diptyques, minuscules chapelles de voyage : on les ouvrait à l'étape, comme sur les autels on ouvrait les retables, pour réchauffer son cœur devant le spectacle émouvant de la vie du Christ et des saints.

On n'attendait pas de ces images qu'elles mènent au divin par l'intelligence, mais par la sensibilité, qu'elles émeuvent. Les unes, de tendresse, et pour cela féminines : innombrables statues de saintes, aimables, compatissantes ; la Vierge à l'Enfant, partout, parée, maternelle, allaitant ; le lait, le sein de Marie — des inventions iconographiques destinées à remuer jusqu'aux fibres obscures de l'inconscient : retour à l'enfance, découverte de l'enfance ; le regard glisse vers ce qui, de l'humanité de Dieu, peut le plus sûrement attendrir : le Petit Jésus. D'autres images, en contrepoint, pour arracher les larmes, attaquent d'un autre biais. Elles exposent des corps martyrisés : la souffrance du corps, la mort dans la douleur que distribue, de tous côtés, dans sa méchanceté, un monde inéluctablement pécheur. Couronnant le tout, la représentation de la mort de Dieu, en négation de tous les charmes trompeurs du monde. Au seuil de la cathédrale, le XIIIe siècle avait placé le visage d'un Christ serein, parlant de paix, de résurrection dans la lumière, parlant de vie. Dans la Chartreuse de Champmol, à Dijon, pour son patron le duc de Bourgogne, prince des fleurs de lys, Claus Sluter, à l'extrême fin du XIVe siècle, dressa l'effigie de Jésus trépassé, mort dans l'angoisse, le désespoir, comme tous les hommes, ses frères, mourront un jour.

L'inquisiteur et l'évêque peuvent-ils exposer quelqu'un à la question et aux tourments ? Dans l'affirmative, sous quelles conditions ?

« Ils peuvent torturer, conformément aux décrétales de Clément V (concile de Vienne), à condition d'en décider ensemble.

« Il n'y a pas de règles précises pour déterminer dans quels cas on peut procéder à la torture. A défaut de jurisprudence précise, voici sept règles repères :

« 1. On torture l'accusé qui vacille dans ses réponses, affirmant tantôt ceci, tantôt le contraire, tout en niant les chefs les plus importants de l'accusation. On présume dans ce cas que l'accusé cache la vérité et que, harcelé par les interrogatoires, il se contredit. S'il niait une fois, puis avouait et se repentait, il ne serait pas considéré comme « vacillant », mais comme hérétique pénitent, et il serait condamné.

« 2. Le diffamé ayant contre lui ne serait-ce qu'un seul témoin sera torturé. En effet, un bruit public plus un témoignage constituent ensemble une demi-preuve, ce qui n'étonnera personne sachant qu'un seul témoignage vaut déjà comme indice. On dira *testis unus, testis nullus ?* Cela vaut pour la condamnation, non pour la présomption. Un seul témoignage à charge suffit donc. Toutefois, j'en conviens, le témoignage d'un seul n'aurait pas la même force dans un jugement civil.

« 3. Le diffamé contre lequel on a réussi à établir un ou plusieurs indices graves doit être torturé. Diffamation plus indices suffisent. Pour les prêtres, la diffamation suffit (toutefois on ne torture que les prêtres infâmes). Dans ce cas, les conditions sont suffisamment nombreuses.

« 4. Sera torturé celui contre qui un seul déposera en matière d'hérésie et contre qui il y aurait en outre des indices véhéments ou violents.

« 5. Celui contre qui pèseront plusieurs indices véhéments ou violents sera torturé, même si on ne dispose d'aucun témoin à charge.

« 6. On torturera à plus forte raison celui qui, semblable au précédent, aurait en plus contre lui la déposition d'un témoin.

« 7. Celui contre qui il y aurait seulement diffamation, ou un seul témoin, ou un seul indice, ne sera pas torturé : chacune de ces conditions, seule, ne suffit pas à justifier la torture. »

« *Le Manuel des inquisiteurs.* »

Troisième verdict : la question.

« On applique la question au dénoncé qui ne passe pas aux aveux et que l'on n'a pas pu convaincre d'hérésie au cours du procès. Si cet accusé n'avoue rien sous la torture, il sera considéré comme innocent. L'accusé qui, dénoncé, n'avoue pas en cours d'interrogatoire, ou qui n'est convaincu ni par l'évidence des faits ni par les témoignages valables ; celui sur qui ne pèsent pas d'indices suffisamment clairs pour que l'on puisse exiger une abjuration, mais qui varie dans ses réponses, celui-là doit être torturé. Doit l'être aussi celui contre qui il y a des indices suffisants pour exiger une abjuration. La forme du verdict de torture est la suivante :

« Nous, inquisiteur, etc., considérant le procès que nous te faisons, considérant que tu varies dans tes réponses et qu'il y a contre toi des indices suffisants pour te soumettre à la torture; pour que la vérité sorte de ta propre bouche et que tu n'offenses pas davantage les oreilles de tes juges, nous déclarons, jugeons et décidons que tel jour à telle heure tu seras soumis à la torture. »

Les inquisiteurs doivent-ils rendre compte aux supérieurs de leurs ordres de leurs activités concernant le Saint-Office ?

« Non. Les inquisiteurs sont des religieux, certes, mais aussi des délégués de notre seigneur le pape. En tant que religieux, ils doivent obéissance et soumission à leurs supérieurs et au pape; entendez par là qu'ils doivent se conformer à leur propre règle et respecter leurs vœux, etc. En tant qu'inquisiteurs, ils sont délégués du pape, et de personne d'autre. Ils n'ont donc de compte à rendre qu'au pape en ce qui concerne leur délégation.

« Ce qui signifie que ce n'est pas au provincial ou au général de l'ordre qu'on fera appel en cas d'irrégularité d'un inquisiteur dans l'exercice de sa fonction, mais au pape.

« Toutefois, il peut appartenir au provincial ou au général de révoquer un inquisiteur : il ne peut pas le faire à son gré, mais seulement après avoir sollicité l'avis de l'inquisition.

« La révocation s'impose dans certains cas, à cause, par exemple, d'impuissance, de maladie grave, d'extrême vieillesse ou, ce qui est bien pire, de l'ignorance de l'inquisiteur. »

« Le Manuel des inquisiteurs. »

Instruction parfaitement détaillée sur la question.

« Si l'accusé varie dans ses réponses, s'il y a en outre des indices contre lui, on mettra les deux choses dans la sentence, comme ci-dessus. S'il n'y a que variation dans les réponses et pas d'indices, ou que des indices sans variations dans les réponses, on en tiendra compte dans la rédaction de la sentence.

« L'inquisiteur ne doit pas se montrer très pressé d'appliquer la torture, car on n'y a recours qu'à défaut d'autres preuves : il appartient à l'inquisiteur d'essayer d'en établir. Mais s'il n'en trouve pas et s'il considère qu'il y a des probabilités de culpabilité du dénoncé et qu'il est probable aussi qu'il n'avoue pas par peur, il introduira des familiers auprès de l'accusé et des amis, pour qu'ils le convainquent d'avouer. Les incommodités de la prison, la réflexion, les exhortations fréquentes des gens probes disposent souvent les accusés à avouer.

« Mais si l'on n'obtient rien et si l'inquisiteur et l'évêque croient en toute bonne foi que l'accusé leur cache la vérité, alors qu'ils le fassent torturer modérément et sans effusion de sang, se rappelant toujours que les tourments sont trompeurs et inefficaces *(scientes quod quaestiones sunt fallaces et inefficaces)*. Il y a des gens d'une telle faiblesse de cœur qui avouent tout à la moindre torture, même ce qu'ils n'ont pas commis. D'autres sont à tel point opiniâtres qu'ils ne disent rien, quelles que soient les tortures qu'on leur inflige. Il y a ceux qui ont déjà été torturés ; ceux-là supportent mieux que quiconque la torture, car ils raidissent aussitôt leurs membres et les raffermissent ; mais d'autres sortent affaiblis des premières tortures et ils sont ainsi incapables d'en supporter des nouvelles. Il y a les ensorcelés qui, par l'effet de sortilèges utilisés sous la torture, deviennent presque insensibles : ceux-là mourraient plutôt que d'avouer.

« Une fois la sentence donnée, les assistants de l'inquisiteur se disposent à l'exécution. Pendant la préparation de l'exécution, l'évêque et l'inquisiteur, d'eux-mêmes ou par la bouche de quelque croyant fervent, presseront l'accusé d'avouer spontanément. Si l'accusé ne le fait pas, ils ordonneront aux bourreaux de lui ôter ses vêtements — ce qu'ils feront immédiatement, mais sans gaieté, comme sous l'emprise d'un certain trouble. Ils l'exhorteront à avouer pendant que les bourreaux le déshabilleront. S'il résiste encore, il sera conduit à part, tout nu, par ces braves croyants qui l'exhorteront encore et encore. En l'exhortant, ils lui diront que, s'il avoue, il ne sera pas tué, du moment qu'il jurera de ne plus commettre ces crimes. Beaucoup avoueraient la vérité s'ils n'étaient tenaillés par la crainte de la mort, j'en ai fait l'expérience bien des fois ; beaucoup avoueraient si on leur promettait la vie sauve. Que l'inquisiteur et l'évêque la lui promettent donc, puisqu'ils pourront tenir leur parole (sauf s'il s'agit d'un relaps, et dans ce cas on ne promettra rien).

« Si l'on n'avance pas par ces moyens, et si les promesses s'avèrent inefficaces, on exécute la sentence et on torture l'accusé de la manière traditionnelle, sans chercher de nouveaux supplices ni en inventer de plus raffinés : plus faibles ou plus forts selon la gravité du crime. Pendant qu'on torture ainsi l'accusé, on l'interroge sur les articles les moins graves d'abord, sur les plus graves ensuite, car il avouera plus facilement les fautes légères que les graves. Le notaire, pendant ce temps, note les tortures, les questions et les réponses. Si, après avoir été décemment (*decenter*) torturé, il n'avoue pas, on lui montrera les instruments d'un autre type de tourment, en lui disant qu'il lui faudra les subir tous s'il n'avoue pas.

« Si on n'obtient rien, même avec cela, on continuera de le torturer le lendemain et le surlendemain s'il le faut (mais on ne « recommencera » pas les tortures, car on ne peut les « recommencer » que si l'on dispose de nouveaux indices contre l'accusé. Il est, autrement, interdit de « recommencer », mais non de « continuer »). Lorsque l'accusé, soumis à toutes les tortures prévues, n'a toujours pas avoué, il n'est pas molesté davantage et il part libre. Et s'il demande qu'une sentence soit établie, on ne pourra pas la lui refuser. Elle sera établie dans la teneur suivante : — qu'après examen méticuleux de son dossier, on n'a trouvé rien de légitimement prouvé contre lui sur le crime dont on l'avait accusé, et on continuera dans les termes prévus pour la sentence absolutoire.

« Celui qui avoue sous les tourments voit ses aveux notés par le notaire. Après la torture, il sera conduit dans un lieu où il n'y aura aucun signe de torture. Là, on lui lira les aveux passés sous la torture, et on poursuivra les interrogatoires jusqu'à obtenir de sa bouche toute la vérité. S'il ne confirme pas ses aveux ou s'il nie alors avoir avoué sous les tourments, et s'il n'a pas encore subi tous les tourments prévus, on continuera de le torturer — sans « recommencer » les tourments. Mais s'il a déjà subi tous les tourments, il sera relâché. Et s'il tient absolument à avoir une sentence, on la lui donnera comme dans le cas précédent.

« S'il maintient, en revanche, les aveux passés sous la torture et s'il reconnaît son crime et sollicite le pardon de l'Église, on considérera qu'il a été convaincu d'hérésie et qu'il se repent. Il sera condamné alors aux peines réservées aux convaincus et repentants dont il est question dans le huitième type de sentence.

« S'il maintient, après torture, des aveux passés sous la torture, mais ne sollicite pas le pardon et n'est pas relaps, il sera livré au bras séculier pour être exécuté (comme dans le dixième type de verdict).

« S'il est relaps, il sera condamné de la façon exposée dans le onzième type de verdict. »

« *Le Manuel des inquisiteurs.* »

La jacquerie (1357).

« Assez tôt après la délivrance du roi de Navarre, advint une grand'merveilleuse tribulation en plusieurs parties du royaume de France, si comme en Beauvoisin, en Brie, et sur la rivière de Marne, en Valois, en Laonois, en la terre de Coucy et entour Soissons. Car aucunes gens des villes champêtres, sans chef, s'assemblèrent en Beauvoisin ; et ne furent mie cent hommes les premiers ; et dirent que tous les nobles du royaume de France, chevaliers et écuyers, honnissoient et trahissoient le royaume, et que ce seroit grand bien qui tous les détruiroit. Et chacun d'eux dit : « Il dit voir ! il dit voir ! honni soit celui par qui il demeurera que tous les gentils hommes ne soient détruits ! » Lors se assemblèrent et s'en allèrent, sans autre conseil et sans nulles armures, fors que de bâtons ferrés et de couteaux, en la maison d'un chevalier qui près de là demeuroit. Si brisèrent la maison et tuèrent le chevalier, la dame et les enfants, petits et grands, et ardirent la maison. Secondement ils s'en allèrent en un autre fort chastel et firent pis assez : car ils prirent le chevalier et le lièrent à une estache bien et fort, et violèrent sa femme et sa fille les plusieurs, voyant le chevalier ; puis tuèrent la femme qui étoit enceinte et grosse d'enfant, et sa fille, et tous les enfans, et puis le dit chevalier à grand martyre, et ardirent et abattirent le chastel. Ainsi firent-ils en plusieurs chasteaux et bonnes maisons. Et multiplièrent tant que ils furent bien six mille ; et partout là où ils venoient leur nombre croissoit ; car chacun de leur semblance les suivoit. Si que chacun chevalier, dames et écuyers, leurs femmes et leurs enfans, les fuyoient ; et emportoient les dames et les damoiselles leurs enfans dix ou vingt lieues de loin, où ils se pouvoient garantir ; et laissoient leurs maisons toutes vagues et leur avoir dedans ; et ces méchans gens assemblés sans chef et sans armures roboient et ardoient tout, et tuoient et efforçoient et violoient toutes dames et pucelles sans pitié et sans mercy, ainsi comme chiens enragés. Certes oncques n'avint entre Chrétiens et Sarrasins telle forsénerie que ces gens faisoient, ni qui plus fissent de maux et de plus vilains faits, et tels que créature ne devroit oser penser, aviser ni regarder ; et cil qui plus en faisoit étoit le plus prisé et le plus grand maître entre eux. Je n'oserois écrire ni raconter les horribles faits et inconvenables que ils faisoient aux dames. Mais entre les autres désordonnances et vilains faits, ils tuèrent un chevalier et boutèrent en une broche, et le tournèrent au feu et le rôtirent devant la dame et ses enfans. Après ce que dix ou douze eurent la dame efforcée et violée, ils les en voulurent faire manger par force ; et puis les tuèrent et firent mourir de male mort. Et avoient fait un roi entre eux qui étoit, si comme on disoit adonc, de Clermont en Beauvoisin, et l'élurent le pire des mauvais ; et ce roi on appeloit Jacques Bonhomme. Ces méchans gens ardirent au pays de Beauvoisin en environ Corbie et Amiens et Montdidier plus de soixante bonnes maisons ett de forts chasteaux ; et si Dieu n'y eût mis remède par sa grâce, le meschef fût si multiplie que toutes communautés eussent été détruites, sainte église après, et toutes riches gens, par tous pays, car tout en telle manière si faites gens faisoient au pays de Brie et de Pertois. Et convint toutes les dames et les damoiselles du pays, et les chevaliers et les écuyers, qui échapper leur pouvoient, affuir à Meaux en Brie l'un après l'autre, en pures leurs cotes, ainsi comme elles pouvoient ; aussi bien la duchesse de Normandie et la duchesse d'Orléans, et foison de hautes dames, comme autres, si elles se vouloient garder d'être violées et efforcées, et puis après tuées et meurtries.

« Tout en semblable manière si faites gens se maintenoient entre Paris et Noyon, et entre Paris et Soissons et Ham en Vermandois, et par toute la terre de Coucy. Là étoient les grands violeurs et malfaiteurs ; et exillièrent, que entre la terre de Coucy, que entre la comté de Valois, que en l'évêché de Laon, de Soissons et de Noyon, plus de cent chasteaux et bonnes maisons de chevaliers et écuyers ; et tuoient et roboient quant que ils trouvoient. Mais Dieu par sa grâce y mit tel remède de quoi on le doit bien regracier, si comme vous orrez ci-après. »

Jean Froissart (1333 ou 1337 - après 1400).
« *Chroniques.* »

Persécution des Juifs à Paris, 1382.

« Charles [...] a nous avoir esté exposé de par les amis de Philippot du Val, chandelier de suif, jadiz demourant en la viez rue du Temple, a Paris, que, pour le temps de la rebellion qui fu faicte a Paris de plusieurs gens qui y demouroient, que l'on appelle a present Maillez, ou mois de mars l'an de grace mil CCCIIII^{xx} et un, ledit Philippot, estant en son hostel, ou il faisoit son mestier, innocent et non sachant d'aucune rebelion ou malefaçon qui deuxt estre faicte, oy et vit plusieurs gens courans qui disoient : « Venez veoir, tout le commun de Paris s'esmeut et ne scet on pourquoy ». Adonc ala ledit Philippot pour veoir ces malfaicteurs, qui estoient grant nombre, et, si comme il apparoit, tres mauvaises gens. Et vindrent a lui aucuns, et lui disrent : « Se tu ne vas pas bien tost armer et faire comme nous, certes nous te tuerons ci en ta maison, dedens ». Et fu feruz, pour ce qu'il n'estoit pas armez. Et lors s'en fouy en sa maison, et doubta moult qu'il ne feust mors ou vilenez d'icelles gens.

« Apres ce, vit et oy ses voisins qui disoient que trop plus grant nombre que devant, qui portoient maillez de plomb, aloient et couroient a Saint Martin des Champs, qu'ilz faisoient moult de maux. Ledit Phelippot doubta qu'il ne feust trouvez et tuez en son ostel, ala audit lieu de saint Martin, senz armeure ne baston, et fut au lieu ou fu trouvé le clerc d'un impositeur, lequel fu en tres grant peril d'estre tué par ceulx qui portoient les diz maillez. Et avecques, furent trouvez deux moines es prisons dudit lieu, lesquelz furent lessiez aler, si comme l'en disoit, dont il ne vit riens.

« Et aussi, ce jour mesme sur le tart, ledit Phelippot estoit retrait en son dit hostel et oy l'effroy des gens qui disoient que les gens aux maillez entroient chez maistre Guillaume Porel et qu'ilz detruisoient tous ses biens. Et issy en la rue ou il trouva son cinquantenier, qui lui dist que il alast veoir s'il estoit vray. Et lors y ala veoir senz nulle armeure et trouva tres grant foison d'iceulx maillez et malfaicteurs qui rompoient par force huis, fenestres et coffres, mengoient et buvoient des biens du lieu et en donnerent a boire au devant dit Phelippot et pillerent et emporterent tres grant foison desdiz biens. Et y en ot un qui portoit deux mesures de suif, qui pevent valoir VIII ou X sous parisis, en lui disant : « Tiens, tu es chandelier, je te donne ce suif ». Et ledit Phelippot le prinst, qui ne l'osoit reffuser, par doubte de mort ; et au dehors de l'ostel, il le donna a un autre.

« Et tantost ledit Philippot oy dire que l'en avoit prinse une femme juifve, vers le carrefour du Temple, et il y ala veoir, et trouva que iceulx gens aux maillez la tenoient et lui disoient : « Faulse juisve, qui forgas les clos dont Dieu fut clouez, si tu ne te fais crestienne, nous te mettrons a mort ». Et ele disoit qu'elle aimoit mieulx a mourir. Laquelle fu mise a mort et pillée. Et du pillage fu gecté audit Philippot le peliçon qui estoit de petite valeur, et il prinst et il regecta incontinent a un autre de la compaignie.

« Et lendemain, ledit Philippot estant et faisant sa besongne en son hostel, pluseurs lui disrent : « Viens avec nous veoir les juifs que on a trouvez au Temple ». Lequel y ala pour les veoir, et il trouva qu'ilz estoient mors par lesdiz maillez, et que on les pilloit et ostoit on leur argent et robes. En regardant iceulx mors, l'un des pilleurs lui dist : « Vien t'en avec nous boire et fuy de ci, si feras que sage ». Lequel y ala et but et mangea avec pluseurs d'iceulx malfaicteurs, pour la doubte qu'il avoit d'eulx. Et lui donnerent II sous parisis du pillage d'iceulx juifs, lesquelz il n'osa reffuser et les prinst et les donna a l'Ostel Dieu de Paris.

« Apres ce jour, ledit Philippot estant en son hostel vit grant foison de gens qui menoient baptisier a Saint Germain en Greve deux juifs, et entre les autres avoit un escuier a qui lesdiz juifs avoient donné tout leur vaillant, maiz qu'ilz fussent crestien et qu'il leur sauvast la vie. Ledit Philippot y ala pour les veoir baptisier. Et apres ala avec ledit escuier et plus de LX personnes qui aloient querir la finance d'iceulx juifs qu'ils avoient donnée audit escuier. Laquelle finance estoient chez Roger Gresillon. Et lui en donna ledit escuier IIII frans et a tous les autres, a l'un plus, a l'autre moins. Maiz au partir de l'ostel, trouverent pluseurs gens d'estranges langues, qui par force leur osterent, par especial audit escuier, audit Philippot, et a pluseurs autres de leur compaignie, ce qu'ilz avoient de ladicte finance. »

La mort de Geoffroy Tête-Noire (1388).

« Vous savez, si comme il est contenu ci-dessus en notre histoire, comment messire Guillaume de Lignac et messire Jean de Bonne-Lance, et plusieurs autres chevaliers et écuyers d'Auvergne et de Limousin avoient assiégé le chastel de Ventadour, et Geoffroy Tête-Noire dedans. Et dura ce siège plus d'un an, car le chastel est si fort que, par assaut qu'on y puisse faire, il n'est pas à conquerre, et par dedans ils étoient pourvus de toutes choses nécessaires qu'il leur besognoit, pour sept ou huit ans, n'eussent-ils rien eu de nouvel. Les compagnons, qui dedans étoient et qui par bastides assiégé l'avoient, venoient à la fois escarmoucher comme ils pouvoient ; et là, le siége pendant, il y eut faites maintes escarmouches d'armes ; et y en avoit à la fois de blessés des uns et des autres. Or avint qu'à une escarmouche qui y fut, Geoffroy Tête-Noire s'avança si avant, que du trait d'une arbalète, tout outre le bassinet et la coëffe ils furent percés ; et fut navré d'un carrel en la tête, tant qu'il lui en convint gésir au lit ; dont tous les compagnons en furent courroucés ; et le terme qu'il fut en tel état, toutes les escarmouches cessèrent. De celle blessure et navrure, s'il s'en fût bien gardé, il eût été tôt guéri ; mais mal se garda, espécialement de fornication de femme ; dont cher l'acheta, car il en mourut. Mais, avant que la mort le prit, il en eut bien la connoissance : il lui fut dit qu'il s'étoit mal gardé, et qu'il étoit et gisoit en grand péril, car sa tête étoit apostumée, et qu'il voulsist penser à ses besognes et à ses ordonnances. Il y pensa, et fit ses lais, sur telle forme et par telle ordonnance que je vous dirai.

« Tout premièrement il fit venir devant lui et en sa présence, tous les souverains compagnons de la garnison et qui le plus étoient usés d'armes ; et, quand il les vit, il s'assit en my son lit, et puis leur dit ainsi : « Beaux seigneurs et compagnons, je sens et connois bien que je suis en péril et en aventure de la mort. Et nous avons été un long temps ensemble, et tenu bonne compagnie l'un à l'autre. Je vous ai été maître et capitaine loyal à mon pouvoir ; et verrois volontiers que de mon vivant eussiez un capitaine qui loyaument s'acquittât envers vous et gardât celle forteresse, car je la laisse pourvue de toutes choses nécessaires qui appartiennent pour un chastel garder : de vin, de vivres, d'artillerie et de toutes choses autres en surplus. Si vous prie que vous me dites entre vous et en général, si vous avez avisé ni élu capitaine, ni capitaines, qui vous sache, ou sachent, mener et gouverner en la forme et manière que gens d'armes aventureux doivent être menés et gouvernés. Car ma guerre a toujours été telle que au fort je n'avois cure à qui, mais que profit y eût. Nequedent, sur l'ombre de la guerre et querelle du roi d'Angleterre, je me suis formé et opinionné plus que de nul autre, car je me suis toujours trouvé en terre de conquêt ; et là se doivent traire et toujours tenir compagnons aventureux, qui demandent les armes et se désirent à avancer. En celle frontière ici a bon pays et rendable ; et y appendent grand'foison de bons pactis, quoiqu'à présent les François nous fassent la guerre, et tiennent siége ; mais ce n'est à toujours durer. Ce siége et ces bastides se déromperont un jour. Or me répondez à ce propos dont je vous parle, et si vous avez capitaine élu, ni trouvé, ni avisé. »

« Tous les compagnons se turent un petit ; et, quand il vit qu'ils se taisoient, il les rafreschit de douces paroles et nouvelles, en leur disant : « Je crois bien qu'à ce que je vous demande, vous y avez petit pensé : moi étant en ce lit, je y ai pensé pour vous. — Sire, répondirent-ils lors, nous le croyons bien ; et il nous sera plus acceptable et agréable, si de vous vient, que de nous ; et vous le nous direz, s'il vous plaît. — Oui, répondit Geoffroy Tête-Noire, je le vous dirai et nommerai. Beaux seigneurs, ce dit Geoffroy

Tête-Noire, je sais bien que vous m'avez toujours aimé et honoré, ainsi comme on doit faire son souverain et capitaine ; et j'aurois trop plus cher, si vous l'accordez, que vous ayez à capitaine homme qui descende de mon sang que nul autre. Véez ci Alain Roux, mon cousin, et Pierre Roux, son frère qui sont bons hommes d'armes et de mon sang. Si vous prie que Alain vous veuilliez tenir et recevoir à capitaine ; et lui jurez, en la présence de moi, foi, obéissance, amour, service et alliance, et aussi à son frère ; mais toutefois je vueil que la souveraine charge soit sur Alain. » Ils repondirent : « Sire, volontiers ; et vous l'avez bien élu et choisi. » Là fut de tous les compagnons Alain Roux sermenté ; et aussi fut Pierre Roux, son frère.

« Quand toutes ces choses furent faites et passées, Geoffroy Tête-Noire parla encore et dit : « Or bien, seigneurs, vous avez obéi à mon plaisir. Si vous en sais gré ; et pour ce je veuil que vous partissiez à ce que vous avez aidé à conquérir. Je vous dis que en cette arche que vous véez là », et lors la montra tout à son doigt, « a jusques à la somme de trente mille francs. Si en vueil ordonner, donner, et laisser en ma conscience ; et vous accomplirez loyalement mon testament. Dites oui. » Et ils répondirent tous : « Sire, oui. » « Tout premier, dit Geoffroy, je laisse à la chapelle de Saint George qui sied au clos de céans, pour les réfections, dix mille et cinq cens francs. En après, à ma mie qui loyaument m'a servi, deux mille cinq cens francs ; et puis à mon clerc cinq cens francs. En après, à Alain Roux, votre capitaine, quatre mille francs. Et à Pierre Roux son frère, deux mille francs. Et à mes varlets de chambre cinq cens francs. A mes officiers, mille et cinq cens francs. *Item* le plus je laisse et ordonne ainsi que je vous dirai. Vous êtes comme il me semble tous trente compagnons d'un fait et d'une emprise ; et devez être frères, et d'une alliance, sans débat et riotte ni estrif avoir entre vous. Tout ce que je vous ai dit, vous trouverez en l'arche. Si départez entre vous trente le surplus bellement ; et si vous ne pouvez être d'accord, et que le diable se touaille entre vous, véez là une hache bonne et forte et bien taillant, et rompez l'arche ; puis ne ait, qui avoir ne pourra. » A ces mots répondirent-ils tous et dirent : « Sire et maître, nous serons bien d'accord. Nous vous avions tant douté et aimé, que nous ne romprons mie l'arche, ni ne briserons jà chose que vous ayez ordonnée et commandée. »

« Ainsi que je vous conte, alla et fut du testament Geoffroy Tête-Noire ; et ne vesquit depuis que deux jours, et fut enseveli en la chapelle de Saint-George de Ventadour. Tout ce fut accompli, et les trente mille francs départis à chacun, ainsi que dit et ordonné l'avoit ; et demeurèrent capitaines de Ventadour Alain Roux et Pierre Roux. Et pour ce ne se levèrent pas les bastides qui se tenoient à l'environ, ni les escarmouches ne laissèrent à se fait moult souvent. Toutes fois de la mort Geoffroy Tête-Noire, quand les compagnons d'Auvergne et de Limousin le sçurent, chevaliers et écuyers, ils en furent tous réjouis, et ne doutèrent pas tant le demeurant, car il avoit été en son temps trop douté, et grand capitaine, de sagement savoir guerroyer et tenir garnisons. »

Jean Froissart, « *Chroniques* ».

De l'accusation faite au roi du peuple de Languedoc en la ville de Beziers sur un nommé Betisac, trésorier au duc de Berry, pour les grandes extorsions qu'il avoit faites au peuple, et de sa confession, et comment il fut cruellement justicié en la dite ville (1389).

« Trois jours se tint le roi à Béziers en joie et en revel avec les dames et damoiselles avant que Betisac fût néant adhers ni demandé ; mais les inquisiteurs, qui commis y étoient par le conseil du roi, faisoient celément secrètement enquête sur lui. Si trouvèrent par enquête plusieurs cas horribles sur lui, lesquels ne faisoient pas à pardonner. Or advint que, au quatrième jour que le roi eut là été, il fut mandé devant le conseil du roi et enclos en une chambre et examiné, et lui fut dit ainsi : « Betisac, regardez et répondez à ces cédules que véez-ci. » Lors lui furent montrées une grand'quantité de lettres et de complaintes, lesquelles avoient été apportées à Béziers et données au roi par manière de supplications, qui toutes parloient et chantoient du fol gouvernement de Betisac et des impressions et des extorsions qu'il avoit faites au peuple. Toutes lui furent lues en sa présence, l'une après l'autre. Aux unes répondit bien et sagement pour ses défenses, et aux autres non, et disoit de celles : « Je n'ai nulle connoissance ; parlez-en aux sénéchaux de Beaucaire et de Carcassonne et au chancelier de Berry. » Finablement pour l'heure il lui fut dit que pour le purger il convenoit qu'il tînt prison. Il obéit et ce faire lui convint. Sitôt qu'il fut emprisonné, les inquisiteurs allèrent à son hostel et saisirent tous les écrits et les comptes dont du temps passé il s'étoit entremêlé, et les emportèrent avecques eux et les visitèrent par grand loisir, et trouvèrent dedans moult de diverses choses et grands sommes de finances, lesquelles il avoit eues et levées du temps passé ens ès sénéchaussées et seigneuries du roi dessus dit, et les nombres si grands que les seigneurs, en oyant lire, en étoient tous émerveillés. Lors fut-il de rechef mandé devant le conseil et amené. Quand il fut venu, on lui montra ses escripts ; et lui fut demandé si toutes les sommes de florins qui levées avoient été de son temps en ès sénéchaussées dites étoient bonnes, et quelle chose on en avoit fait, ni où tout pouvoit être contourné ni devenu. Il répondit à ce et dit : « Les sommes sont bonnes et vraies, et tout est tourné devers monseigneur de Berry et passé par mes mains et par ses trésoriers, et de tout je dois avoir et ai bonnes quittances en mon hostel, en tel lieu. » On y alla ; et furent apportées devant le conseil et toutes lues, et se concordoient assez aux sommes des recettes. Adonc furent les inquisiteurs et le conseil tout abus, et Betisac remis en prison courtoise ; et parlèrent les consaulx ensemble sur cel état et dirent : « Betisac est net de toutes ces demandes que on lui demande ; il montre bien que toutes les levées dont le peuple se plaint, monseigneur de Berry les a toutes eues : quelle chose en peut-il, si elles sont mal allées ni mal mises ? »

« A considérer raison, Betisac n'avoit nul tort en ses défenses et excusations, car ce duc de Berry fut le plus convoiteux homme du monde et n'avoit cure où il fût pris, mais que il l'eût. Et quand il avoit la finance devers lui, si l'employoit-il trop petitement, ainsi que plusieurs seigneurs font et ont fait du temps passé. Les consaulx du roi ne véoient en Betisac nulle chose pourquoi il dût mort recevoir, voir les aucuns et non pas tous ; car moyennement il y en avoit de tels qui disoient ainsi : « Betisac a fait tant de crueuses levées, et appovri tant de peuples pour accomplir le désir à monseigneur de Berry, que le sang humain du povre peuple s'en plaint et crie hautement, et dit qu'il a desservi mort ; car il, qui étoit ès parties par deçà le conseil du duc de Berry, et qui véoit la povreté du peuple, lui dût doucement avoir remontré ; et si le duc de Berry n'y voulsist avoir entendu, il fût venu devers le roi et son conseil et leur eût remontré la povreté du peuple, et comment le duc de Berry les menoit ; on y eût pourvu ; et grandement il se fût excusé des amisses dont il est maintenant adhers et encoulpé. » Adonc fut Betisac remandé en une chambre devant le conseil. De rechef il fut moult fort examiné pour savoir que toutes ses finances pouvoient être devenues, car on trouva la somme de trente cens mille francs. Il répondit à ce et dit : « Messeigneurs, je ne le puis bonnement savoir : il en a mis grand'plenté en ouvrages et réparations de chasteaux et hostels, et en achat de terres au comte de Boulogne et au comte d'Estampes, et en pierreries ; ainsi que vous savez que telles choses il a acheté légèrement. Et si en a étoffé son état très grand que il a toujours tenu ; et si en a donné à Thibault et Morinot et à ses varlets autour de lui, tant qu'ils sont tous riches. — Et vous, Betisac, dit le conseil du roi, en avez-vous bien eu pour vos peines et services que vous lui avez faits cent mille francs à votre singulier profit. — Messeigneurs, répondit Betisac, ce que j'en ai eu, monseigneur de Berry me consent bien, car il veut que ses gens deviennent riches. » Donc répondit le conseil d'une voix : « Ha ! Betisac, Betisac, c'est follement parler. La richesse n'est pas bonne ni raisonnable qui est mal acquise. Il vous faut retourner en prison et nous aurons avis et conseil sur ce que vous nous avez ici dit et montré : il vous faut attendre la volonté du roi, à qui nous montrerons toutes vos défenses. — Messeigneurs, répondit Betisac, Dieu y ait part ! » Il fut remis en prison et là laissé, sans être mandé devant le conseil du roi, bien quatre jours.

« Quand les nouvelles furent épandues parmi le pays que Betisac étoit pris de par le roi, et tenu et mis en prison, et que on faisoit enquête sur lui de toutes parts, et étoit la renommée telle que, qui rien lui savoit à demander si se trait avant, donc vissiez gens de toutes parts venir à Béziers et demander l'hostel du roi, et jeter en place supplications et plaintes crueuses et douloureuses sur Betisac. Les aucuns se plaignoient que Betisac les avoit déshérités sans cause et sans raison ; les autres se plaignoient de force que il leur avoit fait de leurs femmes ou de leurs filles. Vous devez savoir que, quand tant de divers cas venoient sur Betisac, les consaulx du roi étoient tous lassés de l'ouïr ; car à ce que les plaintes montoient, il étoit durement haï du peuple ; et tout lui venoit, à considérer raison, pour accomplir la plaisance et volonté du duc de Berry et pour emplir sa bourse. Les consaulx du roi ne savoient que faire ; car là étoient venus deux chevaliers de par le duc de Berry, le sire de Nantouillet et messire Pierre Mespin, qui apportoient et avoient apporté lettres de créance au roi ; et avouoient ces chevaliers, de par le duc de Berry, tout ce que Betisac avoit fait du temps passé, et requéroit le duc de Berry au roi et à son conseil à r'avoir son homme et son trésorier. Le roi avoit Betisac accueilli en grand'haine pour l'esclandre crueux et la fame diverse et crueuse qui couroit sur lui ; et s'inclinoient le roi et son frère à ce trop grandement qu'il fût perdu. Et disoient que bien l'avoit desservi. Mais les consaulx du roi ne l'osoient juger. Trop doutoient courroucer le duc de Berry. Et fut dit ainsi au roi : « Sire, au cas que monseigneur de Berry avoue tous les faits de Betisac à bons, quels qu'ils soient, nous ne pouvons voir, par nulle voie de raison, que Betisac ait desservi mort ; car du temps que il s'est entremis ès contrées de par deçà, des tailles, des subsides et des aides asseoir et mettre, prendre et lever, monseigneur de Berry, en quelle instance il le faisoit, avoit puissance royale, comme vous avez pour le présent. Mais on pourra bien faire une chose selon les articles de ses forfaits, saisir tous ses meubles et héritages, et le mettre au point où premièrement monseigneur de Berry le prit, et restituer et rendre aux povres gens, par les sénéchaussées, lesquels il a plus foulés et appovris. » Que vous ferois-je long conte ? Betisac fut sur le point d'être délivré, voire parmi ôtant sa chevance, quand autres nouvelles revinrent en place ; je vous dirai quelles. Je ne sais, ni savoir ne le puis fors que par le connoissance de lui, si il étoit tel que il se jugea et dit : que il avoit été un grand temps hérétique et fait une moult merveilleuse chose et infortuneuse. Selon ce que je fus informé, on vint de nuit à Betisac pour le effrayer, et lui fut dit : « Betisac, vos besognes sont en trop dur parti ; le roi de France, son frère et le duc de Bourbon son oncle vous ont accueilli mortellement, car ils sont venus sur vous tant de plaintes diverses, de divers lieux, des oppressions que vous avez faites par-deçà au temps que vous avez gouverné Languedoc, que tous vous jugent à prendre, ni vous ne pouvez passer pour votre chevance. On l'a offert au roi ; mais le roi, qui vous hait mortellement, a répondu que votre chevance est sienne et le corps aussi, et ne serez point longuement gardé ; nous le vous disons bien, car demain du jour on vous délivrera ; et supposons bien, par les apparences que nous en véons et avons vu, que vous serez jugé à mort. » Cette parole effraya trop grandement Betisac, et dit à ceux qui parloient à lui : « Ha ! Sainte-Marie ! Et est-il nul conseil qui y pût pourvoir ? — Oui, répondirent-ils ; de matin dites que vous voulez parler au conseil du roi ; ils viendront parler à vous, ou ils vous manderont. Quand vous serez en leur présence, vous leur direz : « Messeigneurs, je tiens Dieu avoir courroucé trop grandement, et pour le courroux que Dieu a sur moi me sourd cel esclandre. On vous demandera en quoi ; vous répondrez que vous avez un grand temps erré contre la foi et que vous êtes hérite et tenez bien cette opinion. L'évêque du Béziers, quand il vous orra parler, vous chalengera et voudra avoir : vous serez délivré incontinent devers lui, car tels cas appartiennent à être éclaircis par l'Église. On vous envoyera en Avignon devers le pape. Vous venu en Avignon, nul ne se fera partie à l'encontre de vous, pour la doutance de monseigneur de Berry ; ni le pape ne l'oseroit courroucer. Par ce moyen que nous vous disons, aurez-vous votre délivrance, et ne perdrez ni corps ni chevanche. Mais si vous demeurez en l'état où vous êtes, sans issir jà du jour de demain, vous serez pendu, car le roi vous hait pour l'esclamasse du peuple dont vous êtes trop fort accueilli. »

« Betisac, qui se confia sur cette fausse parole et information, car qui est en danger et en péril de mort il ne sait que faire, répondit : « Vous êtes mes bons amis qui loyaument me conseillez, et Dieu le vous puisse mérir, et encore viendra le temps que je vous remercierai grandement. » Cils se départirent, Betisac demeura.

« Quand ce vint au matin, il appela le geolier qui le gardoit, et lui dit : « Mon ami, je vous prie que vous allez quérir ou envoyez quérir tels et tels qu'il lui nomma, et lesquels étoient informateurs et inquisiteurs sur lui. » Il répondit : « Volontiers. » Ils furent signifiés que Betisac les demandoit en prison. Les informateurs vinrent, qui jà savoient espoir bien quelle chose Betisac vouloit ou devoit dire. Quand ils furent en la présence de Betisac, ils lui demandèrent : « Que voulez-vous dire ? » Il répondit et dit ainsi : « Beaux seigneurs, je ai regardé à mes besognes et en ma conscience. Je tiens grandement avoir Dieu courroucé ; car jà de longtemps ai erré contre la foi ; et ne puis croire que il soit rien de la Trinité, ni que le fils de Dieu se daignât oncques tant abaisser que il vînt des cieux descendre en corps humain de femme ; et crois et dis que quand nous mourons qu'il n'est riens d'âme. — Ha, Sainte-Marie ! Betisac, répondirent les informateurs, vous errez contre l'Église trop grandement. Vos paroles demandent le feu ; avisez-vous. — Je ne sais, dit Betisac, que mes paroles demandent, ou feu ou eau, mais j'ai tenu cette opinion depuis que j'ai eu connoissance, et la tiendrai toujours jusques à la fin. » Les informateurs n'en vouldrent pour le présent plus ouïr ; et furent espoir tout joyeux de ces paroles ; et commandèrent très étroitement au geolier qu'il ne laissât homme ni femme parler à lui, afin que il ne fût retourné de son opinion ; et s'en vinrent devers le conseil du roi et leur recordèrent ces nouvelles. Quand ils les eurent ouïes, ils allèrent devers le roi, qui étoit en sa chambre et se levoit. Si lui dirent toute l'ordonnance de Betisac ainsi que vous avez ouï. Le roi en fut moult émerveillé et dit : « Nous voulons qu'il meure ; c'est un mauvais homme, il est hérite et larron. Nous voulons qu'il soit ars et pendu, si aura le guerdon de ses mérites ; ni jà, pour bel oncle de Berry, il n'en sera excusé ni déporté. »

« Ces nouvelles s'épandirent parmi la cité de Béziers et en plusieurs lieux que Betisac avoit dit et confessé de sa volonté, sans contrainte, que il étoit hérite et avoit tenu un long temps l'opinion des boulgres, et que le roi avoit dit qu'il vouloit qu'il fût pendu et ars. Lors vissiez parmi Béziers grand'foison de peuple réjoui, car trop fort étoit haï et accueilli. Les deux chevaliers qui le demandoient de par le duc de Berry, sçurent ces nouvelles. Si furent tout ébahis et émerveillés, et n'en savoient que supposer. Messire Pierre Mespin s'avisa et dit : « Sire de Nantouillet, je fais doute que Betisac ne soit trahi. Et peut-être secrètement on est allé à lui en prison et lui a-t-on informé de ce dire, et lui a-t-on donné à entendre que si il tient cette erreur, qui est horrible et vilaine, l'Église le chalengera, et sera envoyé en Avignon et là délivré du pape. Ha du fol ! il est déçu, car jà oyez-vous dire que le roi veut qu'il soit ars et pendu. Allons, allons tantôt devers lui en prison, et parlons à lui et le réformons en autre état, car il est esvoyé et mal conseillé. »

« Les deux chevaliers incontinent se départirent de leur hostel, et vinrent devers la prison du roi, et requirent au geolier que ils pussent parler à Betisac. Le geolier se excusa et dit : « Messeigneurs, il m'est enjoint et commandé, et aussi à ces quatre sergens d'armes qui ci sont envoyés et commis, de par le roi, sur la tête, que nul ne parle à lui. Le commandement du roi ne oserions-nous briser. » Les chevaliers connurent tantôt que ils travailloient en vain et que Betisac avoit fait, et que mourir le convenoit, tant avoit-on tournoyé. Si retournèrent à leur hostel et comptèrent, payèrent, montèrent et puis s'en retournèrent devers le duc de Berry.

« La conclusion de Betisac fut telle que, quand ce vint à lendemain sur le point de dix heures, on le trait hors de la prison du roi, et fut amené au palais de l'évêque ; et là étoient les juges et les officiaux de par l'évêque et tous ceux de la cour. Le bailly de Béziers, qui l'avoit tenu en prison, dit ainsi aux gens de l'évêque : « Véez-ci Betisac lequel nous vous rendons pour bougre et hérétique, et errant contre la foi, et si il ne fût clerc, nous eussions fait de lui ce que ses œuvres demandent. » L'official demanda à Betisac si il étoit tel que on leur rendoit, et que, oyant le peuple, il le voulsist dire et confesser. Betisac, qui cuida moult bien dire, et échapper parmi sa confession, répondit et dit : « Oui. » On lui demanda par trois fois, et par trois fois le connut tout haut, oyant le peuple. Or regardez si il étoit bien deçu et enchanté, car s'il eût toujours tenu sa parole et ce pourquoi il étoit pris et arrêté, il ne eût eu nul mal, mais l'eut-on délivré, car le duc de Berry avouoit tous ses faits, tant que des assises, aides et extorsions lesquelles il avoit à son commandement mises et assises en Languedoc ; mais on peut supposer que fortune lui joua de son tour, et quand il cuida être le plus assuré sur sa roue, elle le retourna jus en la boue ainsi que elle en a fait tels cent mille depuis que le monde fut premièrement édifié et estauré. Betisac fut de la main du juge official rendu et remis en la main du bailly de Béziers, qui gouvernoit pour le roi le temporel, lequel bailly, sans nul délai, le fit amener en la place devant le palais ; et fut si hâté Betisac qu'il n'eut pas loisir de lui répondre et desdire, car quand il vit en la place le feu et il se trouva en la main du bourreau, il fut tout ébahi ; et vit bien qu'il étoit déçu et trahi. Si requit en criant tout haut à être ouï, mais on n'en fit compte ; et lui fut dit : « Betisac, il est ordonné ; il vous faut mourir. Vos males œuvres vous amènent à male fin. » Il fut hâté, le feu étoit prêt. On avoit en la place fait lever unes fourches, et dessous ces fourches une estache et une grand'chaîne de fer, et au bout des fourches avoit une chaîne et un collier de fer. On ouvrit par une charnière le dit collier et lui fut mis au haterel, et puis reclos et tire contre mont afin qu'il durât plus longuement. On l'enveloppa de cette chaîne autour de l'attache afin qu'il tînt plus roide. Il crioit et disoit : « Duc de Berry, on me fait mourir sans raison ; on me fait tort. » Sitôt qu'il fut lié à l'estache, on appuya autour grand'foison de bourrées et de fagots secs et on bouta le feu dedans. Tantôt les fagots s'allumèrent. Ainsi fut Betisac pendu et ars, et le pouvoit le roi de France voir de sa chambre si il vouloit. A cette povre fin vint Betisac. Ainsi fut le peuple vengé de lui, car au voir dire il leur avoit fait moult d'extorsions et de grands dommages depuis qu'il eut en governement les marches de Languedoc. »

Jean Froissart, « *Chroniques* ».

La mort

Le spectacle du calvaire, les croix, les corps des suppliciés, règne, écrasant, sur l'art du XIVe siècle. Il appelle à la contrition. Il appelle en même temps à l'espérance : à l'un de ses compagnons de torture, criminel pourtant, un voleur, le Christ n'a-t-il pas promis qu'il serait au paradis le soir même ? Jésus, surtout, n'est-il pas, le troisième jour, ressuscité, sorti du tombeau, triomphant, pour monter aux cieux dans la gloire ? Sur la scène du Golgotha se plaque ainsi l'allégorie de la Trinité : le cadavre de Jésus repose dans les bras du Père ; entre les deux visages, la colombe de l'Esprit, comme un trait d'union. Aidant en effet le peuple chrétien à s'unir au destin du Christ, à mourir comme il est mort, mais à vaincre la mort comme Jésus lui-même mil quatre cents ans plus tôt l'a vaincue. Le vrai moyen d'y parvenir est de s'identifier au Christ comme François d'Assise est parvenu à le faire, de rejoindre le Christ dans ses souffrances et ses humiliations, et pour cela de contempler sans cesse les images de la vie, de la mort de Jésus, répandues à profusion partout. Mais qui peut bien vivre sur la terre, harcelé par tant de convoitise ? Chacun du moins peut bien mourir. Or tout se joue dans ce moment décisif, le dernier, celui du passage. Il faut se tenir prêt. Sûrs du succès, les fabricants de livres se mirent donc, à la fin du XIVe siècle, à diffuser des recettes de la bonne mort : les « Artes moriandi », de minces plaquettes, recueils d'images, guidant, montrant l'itinéraire.

L'heure de la mort est celle d'un tournoi dont le champ clos est la chambre mortuaire, ou plutôt le lit d'agonie (on ne meurt bien que dans son lit : la plus redoutée est la mort subite, imprévue, non préparée). Devant l'estrade des juges, un champion, l'ange gardien, tient tête aux démons toutes griffes dehors. L'âme du mourant est l'enjeu du combat. Pour l'emporter, les équipiers du mal usent d'un stratagème : ils lancent l'un après l'autre des leurres, font miroiter tout ce que l'agonisant a désiré pendant sa vie — c'est bien ce qu'il convient de faire à l'heure du trépas, se remémorer les concupiscences qui jadis ont fait trébucher, non pour les regretter, pour les maudire, pour s'en défaire à tout jamais. Voici donc, tentatrice, la vision de ce que le pécheur a pris dans ses mains, qu'il a voulu garder : le pouvoir, l'or, toutes les richesses dérisoires que l'on n'emporte pas avec soi, et, bien évidemment, la femme. Tout cela, le bon chrétien le repousse, proclamant la vanité des choses périssables. Mourir, c'est prêcher un peu. Il faut donc mourir en public, pour distribuer autour de soi, à tous ceux qui sont là, encore vivants, une leçon de renoncement. L'« art de mourir » rappelle cependant combien la lutte est douteuse, que l'on ne se sauve pas tout seul, et qu'il convient de tendre au bon moment les bras vers le Sauveur, c'est-à-dire vers le Christ en croix. Se confier, dans l'espérance : aussitôt les démons s'enfuient, l'âme est sauvée.

Mais le corps ? Ce corps « savoureux et tendre » que l'on a tant aimé réjouir ? Le christianisme que l'art en se laïcisant révèle, celui de tout un chacun, s'ordonne autour de cette question primaire : qu'advient-il du corps des défunts ? La religion du peuple est naturellement funéraire. La mort est transition. Reste sur le sol un objet : le cadavre. Autour de lui un cérémonial doit déployer ses fastes. L'usage impose une dernière fête, comme pour les noces, pour l'entrée des princes dans les bonnes villes, d'accumuler les largesses autour d'un héros, le trépassé. Sa dépouille est parée, fardée, embaumée si l'on est assez riche, longuement exposée, conduite en cortège par tous les amis, les confrères, les pauvres jusqu'à son dernier séjour. On souhaite celui-ci solennel. L'œuvre d'art majeure du XIVe siècle n'est pas la cathédrale ; plus que le palais, c'est le tombeau. Dès qu'une famille avait acquis quelque richesse, elle se préoccupait de soustraire les siens à la fosse commune, à ces charniers où les charrettes allaient déverser très vite les dépouilles des indigents. Elle commandait que fût aménagé un lieu de repos, analogue à celui des saints, à celui des rois de Saint-Denis, où mari, femme, enfants, cousins, viendraient s'allonger côte à côte. Pour la plupart, c'était une simple dalle. Encore la fallait-il autant que possible ornée : une figure, des figures, celles des disparus, montrés tels qu'on les avait vus pour la dernière fois sur le lit de la parade funéraire, vêtus, ornés, armés si c'était des chevaliers ou bien agenouillés ensemble devant la Vierge du Secours, les hommes à droite, les femmes à gauche, comme à l'église. En tout cas, leurs noms gravés, leurs devises, de quoi les identifier : le mort veut être reconnu. Il prétend ne pas sortir des mémoires, qu'on le sache là, jusqu'à la fin du monde, jusqu'à ce que les corps ressuscitent. Tous ces défunts criant d'outre-tombe, suppliant chaque passant d'appeler sur eux la miséricorde divine.

Ces pierres tombales pavaient entièrement les abords et l'intérieur des églises. Faire son testament, c'est en premier lieu, à l'époque, choisir une sépulture, constituer des rentes pour s'assurer des services religieux, des anniversaires perpétuels, deux cents messes de requiem, mille messes, cent mille messes, et tout un prolétariat de prêtres vit des pensions ainsi fondées, et dans toutes les villes s'enrichit une très prospère corporation de tailleurs de tombe. L'argent gagné, bien ou mal, durant la vie, allait autrefois aux monastères, ils servaient à bâtir des cloîtres, des cathédrales ; on l'emploie surtout maintenant à édifier, à embellir de petits sanctuaires familiaux.

Ces monuments sont à la mesure de chaque fortune. Point d'égalité au tombeau : la société des morts est autant que celle des vifs cloisonnée, hiérarchisée, l'humanité passe telle quelle, avec ses grades, ses dignités, ses offices, dans l'au-delà. Pendant le très haut Moyen Âge, l'évangélisation de l'Europe avait lentement vidé les tombes de ces armes, de ces outils, de ces parures, splendides ou dérisoires, que les morts emportaient avec eux dans leur autre vie, nocturne. Quand, à partir du XIIIe siècle, la prédication des franciscains, des dominicains fit du christianisme une religion véritablement populaire, les sépultures se couvrirent à nouveau d'ornements. Le meilleur de la création artistique vint alors s'appliquer à quelques sépulcres, ceux des puissants de la terre.

Pour que Enrico Scrovegni, le richissime usurier de Padoue, reposât dans la paix, mais aussi dans un cadre digne de sa grandeur passée, le plus grand peintre du monde, Giotto, fut convié à couvrir la chapelle funéraire de chefs-d'œuvre. Ces fresques, il ne faut pas l'oublier, sont, comme les peintures de la Vallée des Rois, les accessoires d'un culte des morts. Elles convergent vers le couvercle du sarcophage où l'on voit, sculpté, le corps du défunt, dormant. Vivant ou mort ? En tout cas lui-même, identifiable à ses traits. On attendait d'abord en effet de l'art des tombiers qu'il fixât, immobile jusqu'au Jugement dernier, la physionomie de tel homme, de telle femme. On attendait des portraits, ressemblants. Les premiers portraits apparaissent à cette époque dans notre civilisation, appelés par les soins que la haute société commençait à prendre des défunts, que les riches défunts commençaient à prendre d'eux-mêmes, soucieux de ne pas disparaître tout à fait, exigeant des sculpteurs et des peintres qu'ils s'appliquent à transcrire avec de plus en plus d'exactitude le réel.

De son vivant, au tournant du XIVe et du XVe siècle, le cardinal de Lagrange conçut un décor complexe, destiné, comme celui d'une vaste pantomime ou d'une prédication, à surmonter son sépulcre. Il voulut trois scènes superposées, que l'on vît au milieu sa propre momie couchée sur le catafalque, qu'on le vît à l'étage supérieur réveillé, transporté dans l'autre vie, priant, protégé par son ange gardien, enfin qu'apparût tout en bas la vérité toute crue, ce qui se passe à l'intérieur du tombeau, la décomposition, le « transi ». Transition. C'est cette image que la mort peu à peu impose d'elle-même, c'est-à-dire l'horrible et nauséabond spectacle devant lequel, sur la fresque du Campo Santo, reculaient les cavaliers chasseurs et leurs chevaux. Le macabre, passé 1400, proliféra. Si ce chanoine d'Arras, qui était médecin et savait parfaitement ce que devient la chair quand la vie s'en retire, fit représenter de cette façon son propre corps, ce n'était pas par délectation morbide. Il voulait lui-même, en personne, perpétuellement participer à la grande exhortation de pénitence, prêcher que chacun de nous deviendra cela, qu'il faut nous y attendre, et par conséquent nous remettre, dit l'inscription, « en la seule merci de Dieu ».

Toutefois pour les plus grands princes de ce monde — et d'abord pour ceux d'Italie qui reprenaient, en recueillant l'héritage antique, le goût de l'ostentation triomphale — ériger son tombeau c'était aussi affirmer une dernière fois sa puissance. Une puissance terrestre. C'était une opération politique, le mausolée consolidant les droits d'une dynastie. La tombe devint donc un monument de majesté civile, analogue aux bustes laurés qu'avait fait sculpter Frédéric II. A la fin du XIVe siècle, elle sert de socle à la statue du prince défunt. Dressés en pleine ville, à Vérone, les tombeaux des tyrans de la cité, les Scaligeri, ressemblent à des chapelles ; les formes réduites d'une cathédrale entourent le lit de parade surélevé et le gisant ; celui-ci reparaît cependant au faîte de l'édifice, non point agenouillé, priant, dévot, mais casqué, droit sur la selle et sur les étriers, proclamant aux quatre vents, couronné des aigles de l'empire, sa victoire sur l'oubli.

L'État, l'État laïc affirme sa pérennité en montrant aux sujets leur maître sous ces apparences de vainqueur : un preux qui, lui, ne crie pas miséricorde, mais sa joie de dominer encore, depuis le Panthéon où il est allé rejoindre Hector, Alexandre, Jules César, Roland, Charlemagne : le chevalier héroïsé.

A Milan, le tombeau du seigneur de la ville, Bernabo Visconti, était de même sorte. L'attention ne s'arrête guère sur le sarcophage, sur ces faces où l'on peut voir le défunt en pécheur repenti, escorté par ses saints patrons. La statue équestre attire le regard sur le prince, bombant le torse, les yeux grands ouverts. La justice, l'équité et toutes les autres vertus lui font escorte, mais à ses pieds, de simples suivantes, des femmes. Alors que lui se veut toujours vivant, fier de son sexe, fier de sa vie, ne lâchant pas sa vie. Ne lâchant rien de son pouvoir qu'il serre dans son poing fermé.

Un pouvoir qui procure la joie. Par lequel on prend, par lequel on rafle à pleines poignées l'argent, l'or, pour le gaspiller dans la fête. Posséder le monde, le plier à ses lois, l'asservir à sa propre jouissance, toute la haute culture du XIVe siècle aboutit à ces chefs d'État qui d'abord furent des chefs de guerre. L'art des cours est pour cela dominé par tant de figures trônantes, chevauchantes, et par tant de tours érigées. La forteresse est le soutien de toute formation politique en même temps que le réduit où l'on enferme son trésor, ses livres, ses bijoux, ses dévotions, ses plaisirs. Tout homme qui accède à la pleine puissance élève symboliquement une tour en même temps qu'il fait préparer son tombeau. A l'horizon de toutes les chapelles se dresse un donjon, et sur les pages des « Très Riches Heures », l'admirable paysage n'est que prétexte à montrer la silhouette d'un château. Centrale. Dominante, comme l'est dans la réalité le repaire militaire du prince. Vers lui sont portés les fruits de la terre par les paysans — des paysans maintenant beaucoup moins misérables en vérité qu'en l'an mil, mangeant mieux, mieux vêtus, mais travaillant toujours plus dur pour payer l'impôt. Par leur labeur s'étale,.s'embellit la demeure du maître, comme jadis la maison de Dieu. Château, palais, contractés pour résister au siège, mais ouvrant leur chambre haute sur la joie de respirer, de parader.

De la haute culture des cours, les pauvres ont-ils perçu quelque chose ? En ont-ils au moins partagé la menue monnaie ? Les éducateurs ne furent pas les princes, qui n'en avaient cure. Ce furent les prédicateurs, les dominicains, les franciscains. Ils rameutaient les foules pour d'autres fêtes : des fêtes de la parole et de l'enthousiasme mystique. Toute la ville rassemblée pour les écouter sur les places, ou bien dans les grandes églises nouvelles, claires, spacieuses, édifiées par les ordres « mendiants » maintenant riches et bien enracinés, de grandes halles sans cloison, disposées pour que chacun voie clairement le prêtre élever l'hostie, pour que chacun suive le déroulement d'un sermon, exhortant à mieux vivre, mais surtout à bien mourir. Des simulacres, des équivalences visuelles étayaient ces discours : des représentations de la Passion étaient montées autour des chaires. Et pour que ne s'effaçât pas trop vite le souvenir des paroles entendues, des gestes rituels entrevus, des images pieuses étaient distribuées. On pouvait les emporter chez soi, les coudre sur ses vêtements, les porter comme les princes portaient sur leurs corps les bijoux talismans. Ces feuilles furent les diptyques, les triptyques, les reliquaires privés des pauvres. En effet, à la fin du XIVe siècle, alors que prenaient plus d'ampleur, conjointement, les grandes tournées de prédication et le théâtre populaire, des progrès techniques rendirent ces images accessibles au grand nombre, l'emploi du papier et de la xylographie — révolution véritable, devançant d'une soixantaine d'années celle de l'imprimerie, et dont l'effet sur les consciences, fut, n'en doutons pas, dans les profondeurs de la société, aussi bouleversante.

Des petits livres historiés se répandirent. Auprès des « Arts de bien mourir », des bibles, les « Bibles des pauvres » comme justement l'on disait. Presque pas de texte. Quelques légendes très courtes (l'Église en effet répugnait à placer le texte de l'Écriture à la portée de ceux dont elle n'avait pas formé, contrôlé l'esprit dans ses écoles ; elle s'effrayait encore qu'on le traduisît ; elle pourchassait comme hérétiques ceux qui se risquaient à le faire et ne livrait qu'aux princes les plus puissants, assez instruits pour n'en pas être mauvais usagers, par petites bribes, des adaptations prudentes de la parole divine). Ces bibles-ci étaient donc des livres d'images. Les scènes successives de la vie de Jésus, essentielles, occupaient le centre de chaque page ; auprès d'elles s'établissaient quelques-uns des récits de l'Ancien Testament, n'intervenant qu'en renfort de l'enseignement évangélique, montrant sa préfiguration. Le passage de la mer Rouge, la grappe de la Terre Promise encadrant par exemple le baptême du Christ, afin que l'on comprît mieux que chaque chrétien, par le baptême qu'il reçoit à l'imitation du Sauveur, échappe à la poursuite de l'armée mauvaise et s'introduit dans le pays béni où coule le vin de la vraie connaissance ; face à la trahison de Judas, la tentation d'Adam, face à la Cène, Melchisedech et la manne nourrissant au désert le peuple élu. Fondée sur les concordances, cette pédagogie prolongeait donc celle de Suger et l'enseignement que dispensaient, en l'an mil, de la même façon, les portes de bronze de Hildesheim.

Auprès des livres, les feuilles volantes, dispersées, reproduisaient, simplifiés, schématisés, les thèmes majeurs de l'iconographie dominante, celle de la grande peinture, de la grande sculpture de cour. Plaquées sur les membrures maîtresses de l'imaginaire de dévotion, en grossissant, en caricaturant les thèmes, ces images, les moins coûteuses, montrent comment la piété s'éparpillait parmi la foule des saints et des saintes, petites divinités auxiliatrices, portant chance, gardant du malheur, montrent ce qui rabaissait le sentiment religieux vers des puérilités devant la crèche, l'emprise surtout d'un goût profond pour les représentations du supplice. Combien de corps déchirés, malmenés : la chair des martyrs transpercée de blessures ; saint Sébastien lardé de flèches ; le Christ flagellé, écrasé par la croix, mort sur les genoux de sa mère éperdue, saignant ; et, sur telle bande dessinée, éditée vers 1440, sous le prétexte de conter la vie de saint Érasme, l'horrible enchaînement de tous les moyens de faire souffrir. Obsession : l'Enfant Jésus, le lait de la Vierge, le sang, la mort des justes, voilà ce qui reste entre nos mains de l'art populaire.

Populaire ? Entendons-nous : cet art est celui d'une classe moyenne, d'une bourgeoisie urbaine enseignée par les sermons dominicaux et par la représentation des mystères. Mais le vrai peuple, celui des campagnes ? Il percevait sans doute plus que l'on n'imagine. Domrémy n'était qu'un gros village, Jeanne d'Arc, de famille aisée, mais paysanne ; ses rêves sont peuplés de figures très précises : elle n'hésite pas, elle reconnaît très bien saint Michel, sainte Catherine, sainte Marguerite. A leur visage : elle avait vu ceux-ci sur des retables, sur des gravures. Puissance de l'image plus que des mots. Par tant de fresques, de statues, l'esprit de l'homme quelconque fut envahi entre 1400 et 1430 de visions fort nettes ; pour lui l'invisible n'était pas moins présent que le réel. Au premier plan de ses fantasmes, la silhouette de la Vierge et celle du Crucifix. Derrière elles, l'enfer et le paradis : l'avenir de tout homme et de toute femme, l'un ou l'autre, par-delà la mort, inéluctablement. Deux séjours, deux portes ouvertes de part et d'autre du grand Juge. Comme sur le tympan de Conques.

Du paradis, les riches ont rêvé comme l'un de ces jardins soignés où ils se plaisaient à s'ébattre : des fleurs, les eaux chantantes, des corps très beaux de garçons souples et de longues filles ; n'imaginant pas la maison d'Abraham, la Jérusalem céleste, autrement que sous l'aspect d'un verger d'amour, un peu plus embaumé seulement, un peu mieux protégé des frimas ; ne sachant figurer la joie des ressuscités que par la grâce de leurs corps. Les images de l'enfer sont moins pauvres : l'angoisse, le ciel vide ; tomber dans le noir, comme dans les mauvais rêves, et comme sont tombés les anges rebelles ; le corps, la chair abandonnés aux bêtes immondes, devenant le jouet des démons ; dévoration ; brûlure ; un feu qui n'est point purification mais torture sans fin : brûler de désirs inassouvis, brûler de remords. Les enfers grouillent de ces damnés écartelés qui hantaient l'esprit de Dante. A Pise, dans le marbre, sur la chaire de la cathédrale, c'est un enchevêtrement héroïque de muscles et de serpents, et, sur la fresque du Campo Santo, des décapités, saints Denis du malheur, dont la tête coupée, grimaçante, tient lieu de sexe.

Dans la chapelle de l'Arène, à Padoue, sur la paroi de l'ouest, face au tombeau, devant les yeux du gisant, Giotto place le spectacle de la part maudite. C'est encore un écroulement, des sexes dévorés, l'homme émasculé, la femme écorchée, les châtiments raffinés de la chair trop chérie, et, sous le prétexte d'en décrire les tourments, Giotto peint ici les premiers nus sensuels de l'Europe chrétienne.

Quatre siècles après les Apocalypses de Catalogne et la tapisserie de Bayeux, trois siècles après Conques et les enchevêtrements démoniaques de Souillac, passé l'intermède théologique du XIIIe siècle, la lumière, la paix, le sourire du gothique, le Moyen Âge prend fin sur ces accents tragiques, ces gesticulations, sur le lancinant rappel du mal, de la souffrance, de la putréfaction des corps. Quand prend-il fin ? Question vaine. Elle est insoluble en tout cas, et d'abord parce que l'Europe était diverse, infiniment, et que dans ses multiples provinces le temps ne s'écoulait pas au même rythme : le Moyen Âge était fini depuis cinq ou six générations en Toscane alors que Nuremberg, Uppsala demeuraient pleinement médiévales. La question est vaine surtout parce que le Moyen Âge, après avoir été lui-même une succession de renaissances enchaînées, s'est engouffré dans la dernière renaissance, la grande, celle du xve siècle italien. Il s'y précipite avec tout, avec Roland, la reine de Saba et saint Bonaventure, avec le macabre, la ferveur, les jeux de l'ésotérisme, de l'érotisme, avec la dévotion moderne. Cette coulée de survivances, épaisse autant qu'à tout autre moment de l'histoire, et que l'historien, toujours attentif à ce qui s'innove, risque parfois d'oublier, persuade que toute coupure est arbitraire.

Je m'arrête pourtant en 1420, 1440, lorsque s'amortissent les ultimes récurrences de la peste noire. Paris n'est plus, comme il l'était au temps de Jean de Berry le Magnifique, le point central, le carrefour de la recherche et de l'invention d'où rayonnaient de tous côtés les modes nouvelles. L'éclipse est accidentelle ; elle résulte de hasards politiques, de l'affaiblissement de la monarchie française accablée par une guerre malheureuse, de l'émeute, contraignant le roi à fuir, à transplanter sa cour pour un temps dans le Val de Loire. Avignon survit mal aux ébranlements du Grand Schisme. Le vif de la création esthétique tend alors à se concentrer dans les principautés les plus fortes de ce temps, au nord, dans l'État autonome que les cousins du roi de France ont construit autour du duché de Bourgogne et du comté de Flandre, au sud dans la République de Florence qui glisse, sans y prendre garde, au pouvoir d'une tyrannie feutrée, celle des Médicis. Vers ces deux pôles, qui sont ceux des plus fructueux commerces, pour glorifier des puissances d'argent, affluent pour le moment les meilleurs artistes. De même que, cent cinquante ans plus tôt, Nicola Pisano avait devancé Giotto, de même ce sont les sculpteurs, Claus Sluter en Bourgogne, Donatello en Toscane, qui sont postés aux avant-gardes. Toutefois toutes les recherches plastiques aboutissent à la peinture, à celle de Van Eyck, à celle de Masaccio. Sur les deux versants d'une même culture.

Van Eyck poursuit les expériences gothiques. Son œuvre prolonge celle des artistes domestiques du duc de Berry. Avec plus de maîtrise que ceux-ci, il place sous le regard, dans leur exacte vérité, une multitude de sensations fugaces, réunies par le jeu des ombres et des irisations, par la lumière, celle de la théologie mystique. Masaccio, lui, revient, à la majesté giottesque pour célébrer les vertus stoïques d'un christianisme austère, équilibré, autant que les écrits latins dont s'enchantent les humanistes. Il ne cherche pas à capturer les miroitements du réel mais, par la raison, à saisir des structures logiques et des mesures idéales. Pourtant, l'art de Van Eyck et l'art de Masaccio ont en commun le sens de l'homme : au centre de leurs créations, pour exprimer la grandeur et la misère de la condition humaine, ils ont l'un et l'autre placé l'homme nouveau, Adam. Et Ève. Et surtout, alors que jusque-là, tous les peintres, tous les sculpteurs, tous les orfèvres avaient été des tâcherons ou bien des domestiques, dépendant d'un maître ou d'un client dont ils devaient respecter les caprices, Van Eyck, lorsqu'un jour il décida de peindre le visage de sa femme pour son seul plaisir, Masaccio, lorsqu'il plaça son propre visage parmi ceux des apôtres du « Tribut », affirmaient, l'un et l'autre, superbement, pour la première fois, que le grand artiste lui-même est un prince, et qu'il a le droit, comme Dieu, de créer librement ce qu'il veut.

Châtiment de Colinet de Puiseux.

« Le jeudi 12 novembre, Colinet de Puiseux fut conduit aux Halles avec six autres traîtres ; il se trouvait en septième position, assis dans la charrette sur une poutre, plus haut que les autres, tenant une croix de bois entre les mains, et vêtu comme il était quand il fut pris, en habits de prêtre ; c'est ainsi qu'il fut mené à l'échafaud, dépouillé, mis tout nu et décapité. Il fut dépecé et ses quatre membres furent suspendus chacun à l'une des portes principales de Paris et son corps fut mis dans un sac au gibet... Et l'on tenait pour certain que ce Colinet était cause, par sa traîtrise, de plus de deux millions de dommages en France, sans parler des gens qu'il fit tuer, rançonner ou déporter, et dont on n'entendit jamais plus parler. »

« *Journal d'un bourgeois de Paris pendant la guerre de Cent ans.* »

Un curieux mal : la coqueluche.

« A cette époque, les petits enfants chantaient, le soir, en allant au vin ou à la moutarde :

Votre con a la toux, commère !
Votre con a la toux, la toux !

« Il arriva en effet selon le bon plaisir de Dieu qu'un mauvais air corrompu fondît sur le monde, qui fit perdre le boire, le manger et le sommeil à plus de cent mille personnes à Paris. On avait deux ou trois fois par jour une très forte fièvre, surtout chaque fois qu'on mangeait ; toute nourriture vous paraissait amère, très mauvaise et puante ; où que l'on soit, on tremblait ; enfin, ce qui était bien pis, le corps perdait toutes ses forces. Ce mal dura sans cesser trois semaines et plus, et commença vraiment vers le début mars : on l'appelait le tac ou le horion. Et ceux qui ne l'avaient pas ou qui en étaient déjà guéris, se moquaient des autres en disant : « L'as-tu ? Par ma foi, tu as chanté : Votre c.n. a la toux, commère ! » Car en plus de tout ce que je viens de dire, ce mal donnait une toux si forte, un rhume si cruel, un tel enrouement qu'on ne chantait plus de grands-messes à Paris et que plusieurs, à force de tousser, se rompirent les organes génitaux, pour le reste de leur vie. Des femmes qui, enceintes, étaient loin de leur terme, accouchèrent prématurément sans l'aide de quiconque, à force de tousser, ce qui ne manquait pas d'entraîner la mort pour la mère et pour l'enfant. Quand la guérison approchait, les malades rejetaient beaucoup de sang par la bouche, le nez et par en dessous, ce qui ébahissait beaucoup ; et pourtant, personne n'en mourait. Mais on avait du mal à guérir, car il fallait bien compter six semaines après la guérison complète, avant que l'appétit ne revînt ; et aucun médecin ne savait dire de quel mal il s'agissait. »

« *Journal d'un bourgeois de Paris pendant la guerre de Cent ans.* »

Arrestations et massacres des Armagnacs.

« Bientôt la foule très échauffée parcourut toutes les hôtelleries de Paris à la recherche des Armagnacs ; et tous ceux qu'ils trouvaient étaient aussitôt amenés aux hommes de guerre, au milieu de la rue et impitoyablement tués à coups de haches ou d'autres armes. Et ce jour-là quiconque avait une arme frappait les Armagnacs jusqu'à ce qu'ils soient étendus morts. Les femmes, les enfants, et le menu peuple, qui ne pouvaient faire davantage, les maudissaient en passant auprès d'eux, en disant : « Chiens de traîtres, vous êtes encore mieux que vous ne méritez. Il y en a encore. Plût à Dieu que tous fussent en tel état ! » Il n'y avait pas alors la moindre rue où ne se consommât quelque meurtre, et à peine le temps de faire cent pas, il ne restait aux Armagnacs que leurs braies. Et on entassait leurs corps comme des porcs au milieu de la boue (qui était abondante car il plut très fort tous les jours, cette semaine-là). Ce jour-là 522 hommes furent tués ainsi dans les rues, plus ceux qui périrent dans leurs maisons. Et il plut si fort cette nuit-là que les cadavres ne sentirent pas mauvais ; leurs plaies furent si bien lavées par la pluie, qu'au matin, il ne restait dans les rues que du sang caillé, mais nulle ordure. Parmi les Armagnacs de grand renom qui furent pris au cours de ces journées se trouvaient Bernard d'Armagnac, connétable de France, aussi cruel que Néron, le chancelier de France, Henri de Marle, Jean Gaudé, maître de l'artillerie, le pire de tous, qui répondait aux ouvriers quand ceux-ci lui demandaient leurs salaires : « N'avez-vous pas chacun un petit blanc pour acheter la corde pour vous pendre ? Par saint Claude, canaille, c'est pour votre bien ! » Et ils n'en tiraient rien d'autre ; aussi ce Gaudé amassa-t-il un trésor plus considérable que le roi. Il y eut encore maître Robert de Tuillières, maître Oudart Baillet ; l'abbé de Saint-Denis en France, très faux papelard ; Remonnet de la Guerre, capitaines des pires larrons que l'on pût trouver, bien pires que des Sarrazins ; maître Pierre de l'Esclat ; maître Pierre le Gaiant schismatique, hérétique, qui avait prêché en place de Grève, et était digne du bûcher ; l'évêque de Clermont, le plus acharné de tous contre la paix, et bien d'autres. Et il y en avait tant au Palais, au Petit et au Grand Châtelet, à Saint-Martin, à Saint-Antoine, à Tiron, au Temple, qu'on ne savait bientôt plus où les mettre. Cependant les Armagnacs étaient toujours à la porte Saint-Antoine : aussi, chaque nuit, on criait l'alarme et on faisait de très grands feux, on sonnait de la trompe, avant et après minuit, et à minuit ; et pourtant tout cela plaisait au peuple, qui faisait tout de bon cœur. Le jeudi 9 juin, le peuple établit la confrérie de Saint-André en la paroisse de Saint-Eustache ; chaque membre portait des roses rouges à son chapeau, et tant de Parisiens y entrèrent que les maîtres de la confrérie affirmaient qu'ils avaient dû faire faire plus de soixante douzaines de chapeaux ; et pourtant on en manqua avant midi. L'église Saint-Eustache était pleine à craquer et sentait si bon qu'on l'eût dite lavée à l'eau de rose. La même semaine, les habitants de Rouen demandèrent de l'aide aux Parisiens, qui leur envoyèrent 300 lances et 300 archers pour lutter contre les Anglais. »

« *Journal d'un bourgeois de Paris pendant la guerre de Cent ans.* »

Mort du bourreau Capeluche.

« Le lundi 22 août, quelques femmes furent mises en jugement et exécutées dans les rues, avec pour tout vêtement leur chemise. A cette besogne, le bourreau fut plus acharné que quiconque ; mais dans le nombre il exécuta aussi une femme enceinte, qui n'était nullement coupable ; aussi il fut arrêté, emprisonné au Châtelet avec deux autres complices, et trois jours après ils furent exécutés tous les trois. Et avant de mourir, il montra à son successeur la façon de couper les têtes ; on le délia et il disposa lui-même le tranchet sur son cou et sa face, sortit sa doloire et son couteau, comme s'il allait exécuter quelqu'un d'autre que lui, ce qui ébahit tout le monde ; puis il cria merci à Dieu et son valet le décolla. Vers la fin août, il fit tellement chaud nuit et jour que personne ne pouvait dormir ; il y eut en outre une épidémie de bosse qui toucha surtout les jeunes gens et les enfants et causa une grande mortalité. »

« *Journal d'un bourgeois de Paris pendant la guerre de Cent ans.* »

La famine.

« Moins de huit jours après, le blé et la farine enchérirent tellement que le setier de froment valait aux Halles, mesure de Paris, 30 francs de la monnaie qui avait cours alors, et la bonne farine 32 francs ; à 24 deniers parisis pièce, on ne pouvait trouver de pain, et le plus lourd ne devait guère peser que 20 onces. C'était un bien mauvais moment pour les pauvres gens et les prêtres sans moyens, qui ne recevaient guère que deux sols parisis pour une messe. En guise de pain, les pauvres gens ne mangeaient que des choux et des navets sans pain et sans sel. Avant Noël, le pain de 4 blancs en valut 8, et encore n'en pouvait-on avoir qu'à la condition d'aller chez le boulanger avant le jour et d'offrir pintes et chopines aux mitrons pour en avoir. Le vin valait au moins 12 deniers la pinte ; et celui qui en avait à ce prix ne s'en plaignait pas, car dès huit heures, il y avait à la porte des boulangeries une telle presse qu'on la trouverait incroyable, si on ne l'avait vue. Et quand, faute d'argent, ou parce que l'affluence était trop grande, ces pauvres créatures, qui étaient venues là pour leurs maris qui travaillaient aux champs ou leurs petits enfants criant famine à la maison, ne pouvaient avoir de pain, il fallait entendre leurs plaintes et leurs lamentations, et les petits enfants qui criaient : « Je meurs de faim ! Hélas ! »

Sur le tas de fumier dans Paris, vous eussiez pu trouver de-ci de-là vingt ou trente enfants, garçons ou filles, mourant de faim et de froid ; et il n'y a cœur si endurci qui les entendant crier : « Hélas ! je meurs de faim ! » n'aurait été bouleversé et ému de pitié. Mais les pauvres chefs de famille ne pouvaient leur venir en aide, sans pain, sans blé, sans bois, ni charbon. Et le pauvre peuple était si accablé de guets, jour et nuit, que personne ne pouvait s'entraider... Le 27 décembre, Catherine de France, que le roi d'Angleterre avait épousée, partit en Angleterre : elle quitta le roi son père avec beaucoup d'émotion. Le roi d'Angleterre laissa le duc de Clarence et deux autres comtes comme capitaines de Paris, et ils firent bien peu de bien. Le setier de blé atteignit alors 32 francs et plus, le setier d'orge 27 et 28 francs, et le pain de 16 onces, 8 blancs. Quant aux pauvres, ils ne pouvaient manger de pois ou de fèves, à moins qu'on leur en fît cadeau. Une pinte de vin de ménage, moyen, coûtait au moins 16 deniers. Il n'y avait pas si longtemps on en aurait eu du meilleur, ou aussi bon, pour 2 deniers. »

« *Journal d'un bourgeois de Paris*
pendant la guerre de Cent ans. »

Le drame de l'arbre de Vauru.

« Le 5 mai, le bâtard de Vauru fut traîné dans toute la ville de Meaux, puis décapité ; son corps fut pendu à cet arbre, un orme, que lui-même de son vivant avait appelé l'arbre de Vauru ; sa tête fut placée tout en haut au bout d'une lance et son corps recouvert de son étendard. A côté de lui fut pendu un larron assassin, nommé Denis de Vauru, qui se disait son cousin, et par sa cruauté, il était bien digne de l'être, car jamais on n'entendit parler de pareil tyran. Tout laboureur qu'il pouvait découvrir et attraper ou faire attraper et dont il s'avérait qu'il ne pouvait tirer quelque rançon, était sur-le-champ attaché à la queue d'un cheval et traîné jusqu'à cet orme. Et s'il ne se trouvait pas de bourreau pour le faire, lui-même ou son cousin le pendait. Mais voici bien la pire des cruautés de cet homme qui en la matière surpassait Néron : ayant pris un jour un jeune homme en train de labourer, il le lia à la queue de son cheval et le traîna ainsi jusqu'à Meaux, où il le fit torturer ; le jeune homme, dans l'espoir d'échapper aux tourments qu'il supportait, lui accorda ce qu'il demandait ; mais la rançon était telle que trois hommes comme lui n'auraient pu la payer. Cette somme, il la demanda à sa femme, mariée de cette même année et qui allait avoir un enfant. Sa femme, qui aimait tendrement son mari, vint à Meaux dans l'espoir d'attendrir le cœur du tyran, mais rien n'y fit : le maudit homme lui dit que si, au jour fixé, il n'avait pas la rançon promise, son mari serait pendu à l'orme. Alors, la jeune femme recommanda son mari à Dieu, en pleurant tendrement, et lui, de son côté, s'apitoyait sur elle. Elle partit alors, maudissant son sort, et s'efforça de rassembler la somme, mais elle n'y parvint que huit jours environ après l'expiration du délai fixé. Quand celui-ci fut écoulé, le tyran fit mourir le jeune homme, sans pitié et sans merci, à son orme, comme il avait fait avec tous les autres. Dès qu'elle eut réuni le montant de la rançon, la femme revint et réclama son mari au tyran en pleurant : elle ne pouvait plus se tenir debout, car son terme approchait et elle avait fait un long trajet ; elle était si à bout qu'elle s'évanouit. Revenue à elle, elle réclama à nouveau son mari, mais on lui répondit qu'elle ne pourrait le voir que quand la rançon aurait été payée. Elle attendit encore un peu et vit amener d'autres laboureurs qui ne pouvant payer étaient aussitôt noyés ou pendus sans merci. Aussi eut-elle très peur pour son mari, que son pauvre cœur craignait de retrouver en piteux état ; mais elle l'aimait tant qu'elle leur donna la rançon. Dès qu'ils l'eurent, ils lui ordonnèrent de s'en aller et lui dirent que son mari était mort, comme les autres vilains. Quand elle entendit ces mots très cruels, son cœur se brisa de douleur : elle se mit à leur parler comme une désespérée et une forcenée, que la douleur aurait rendue folle. Quand le bâtard de Vauru entendit ce qu'elle disait et qui n'était point de son goût, il la fit bâtonner et conduire à son orme, puis attacher à l'arbre ; il fit couper ses vêtements si courts qu'on pouvait lui voir le nombril : vit-on jamais pareille inhumanité !... Au-dessus de sa tête se balançaient les corps d'au moins quatre-vingts pendus ; les plus bas effleuraient sa tête, ce qui lui causait une telle frayeur qu'elle ne tenait plus sur ses jambes ; les cordes qui lui liaient les bras entamaient sa chair, et elle ne cessait de pousser de grands cris et de pitoyables gémissements. La nuit vint, et son désespoir fut sans bornes, à l'idée qu'elle souffrait tant et dans un aussi horrible endroit ; elle se lamentait en disant : « Sire Dieu, quand cessera pour moi l'affreuse douleur dont je souffre ? » Elle cria si fort et si longtemps qu'on pouvait l'entendre de la ville ; mais personne n'aurait osé aller la délivrer sans risquer la mort. Au milieu de ces souffrances et de ces cris, les douleurs la prirent, tant à force de crier que du froid et du vent et de la pluie qui l'assaillaient de tous côtés. Elle cria si fort que les loups, qui cherchaient quelque charogne, vinrent droit sur elle, se jetèrent sur son propre ventre, l'ouvrirent à coups de crocs, en tirèrent l'enfant par morceaux et dépecèrent tout le reste du corps. Ainsi périt cette pauvre créature, en mars, pendant le Carême de 1421. »

« Journal d'un bourgeois de Paris pendant la guerre de Cent ans. »

L'arrivée des Romanichels.

« Le dimanche 17 août arrivèrent à Paris douze pénitents : un duc, un comte et dix hommes, tous à cheval, ils se disaient bons chrétiens, et prétendaient qu'ils venaient de basse-Égypte ; ils disaient qu'ils avaient été autrefois chrétiens et qu'il y avait peu de temps qu'ils l'étaient redevenus, après que les chrétiens aient à nouveau soumis tout leur pays, sous peine de mort. Ceux qui étaient baptisés étaient seigneurs du pays comme auparavant et avaient promis de se montrer des fidèles bons et loyaux et de garder la loi du Christ jusqu'à la mort... Et ils affirmaient, qu'alors qu'ils étaient chrétiens depuis un certain temps, ils avaient été assaillis par les Sarrazins : alors, leur foi avait chancelé, ils n'avaient pas défendu leur pays et n'avaient pas fait la guerre avec assez de cœur, s'étaient rendus à leurs ennemis, avaient renié leur foi et étaient redevenus Sarrazins. Alors, quand les souverains chrétiens, comme l'empereur d'Allemagne, le roi de Pologne et d'autres seigneurs, apprirent qu'ils avaient ainsi abandonné notre foi pour redevenir Sarrazins et idolâtres, ils se mirent à leur poursuite et peu après les vainquirent ; ils avaient espéré qu'on les laisserait en leur pays, mais l'empereur et les autres seigneurs, après en avoir délibéré, décidèrent qu'ils ne pourraient rester sur leurs terres qu'avec le consentement du pape et qu'il fallait donc qu'ils se rendissent à Rome, auprès du Saint-Père. Tous y allèrent, grands et petits, ces derniers avec beaucoup de peine, et confessèrent leurs péchés. Quand le pape eut entendu leur confession, il leur donna pour pénitence d'aller pendant les sept années à venir à travers le monde, sans jamais coucher dans un lit, ni disposer de quelque aisance ni confort. Pour leur dépense, il ordonna que tout évêque ou abbé portant crosse leur donnerait une fois pour toutes dix livres tournois, et leur fit remettre des lettres en ce sens pour les prélats de l'église et leur donna sa bénédiction. Ils partirent, et avant d'arriver à Paris, ils coururent le monde cinq ans. Le gros de la troupe — cent à cent vingt hommes, femmes et enfants — n'arriva que le jour de la Décollation de saint Jean-Baptiste ; l'autorité judiciaire ne les laissa pas entrer dans Paris et les astreignit à résider à La Chapelle-Saint-Denis. En partant de leur pays, ils étaient mille ou douze cents environ ; mais le reste était mort en route. Leur roi, leur reine et tous ceux qui avaient survécu avaient encore l'espoir de posséder les biens de ce monde, car le Saint-Père leur avait promis, leur pénitence accomplie, de leur donner un pays bon et fertile, où ils pourraient se fixer.

Quand ils furent installés à La Chapelle, on ne vit jamais autant de monde à la bénédiction du Lendit qu'il en vint de Paris, de Saint-Denis et des alentours de Paris pour les voir ; il est vrai que leurs enfants, fils et filles, étaient d'une adresse incomparable ; presque tous avaient les oreilles percées et portaient à chacune d'elles, un ou deux anneaux d'argent ; ils disaient que c'était la mode dans leur pays.

Les hommes étaient très noirs, les cheveux crépus, les femmes les plus laides et noiraudes qu'on pût voir ; toutes avaient des plaies au visage [sans doute, quelques tatouages] et les cheveux noirs comme queue de cheval. Elles portaient en guise de robe une vieille flaussaie [sorte de couverture assez grossière, en laine ou en coton], attachée sur l'épaule par une grosse attache de drap ou de corde; dessous, elles n'avaient qu'un vieux sarrau ou une vieille blouse; bref, c'étaient les plus pauvres créatures que l'on ait vues en France. Malgré leur pauvreté, il y avait parmi elles des sorcières, qui en lisant dans les mains des gens, leur disaient le passé ou l'avenir, et elles mirent la discorde dans plus d'un ménage en disant au mari : « Ta femme te fait cocu » ou à la femme : « Ton mari te trompe. » Le pire était que, tandis qu'elles parlaient à leurs clients, par magie, par le diable ou par adresse, elles vidaient le contenu de la bourse de leurs auditeurs dans la leur. C'est du moins ce que l'on disait, car, en vérité, je pus leur parler 3 ou 4 fois, et jamais je ne m'aperçus qu'il me manquât un seul denier au retour, et je ne les ai pas vues lire dans les mains. Mais le peuple faisait partout courir ce bruit, qui, à la fin, parvint aux oreilles de l'évêque de Paris qui alla les voir, accompagné d'un frère mineur, appelé le Petit Jacobin, qui sur son ordre, leur fit un beau sermon, et excommunia tous ceux qui avaient dit ou s'étaient fait dire la bonne aventure et montré leurs mains. On les obligea alors à s'en aller et ils partirent le jour de Notre-Dame en septembre pour Pontoise. »

« Journal d'un bourgeois de Paris pendant la guerre de Cent ans. »

Un paysan anglais et sa famille, vers 1394.

« [...] Et comme j'allais par le chemin en pleurant de chagrin, je vis un pauvre homme derrière sa charrue. Sa cotte était d'étoffe grossière appelée *cary*, son capuchon était tout troué, et ses cheveux s'en échappaient ; de ses chaussures bosselées, épaisses et cloutées, sortaient ses orteils, pendant qu'il foulait la terre ; ses bas tombaient épars sur ses guêtres, et il s'était tout souillé de boue en suivant la charrue ; deux mitaines, faites de pauvres haillons ; ses doigts étaient usés et couverts de boue. Cet homme s'était enlisé dans la boue presque jusqu'aux chevilles ; devant lui, quatre vaches qui étaient devenues étiques ; elles étaient si misérables que les hommes pouvaient compter leurs côtes. Sa femme marchait à côté de lui, avec un long aiguillon ; elle portait un cotillon court largement retroussé et s'était enveloppée d'un tamis à vanner pour se protéger du mauvais temps ; pieds nus à même la glace, en sorte que le sang coulait. Et au bout du champ, il y avait une petite boîte à ordures, où se trouvait un petit enfant en guenilles, et de l'autre côté, deux autres enfants de deux ans, et tous chantaient une chanson qu'on entendait avec pitié. Tous criaient le même cri — note misérable. Le pauvre homme soupirait tristement et disait : « Silence, les enfants. » [...]

« Pierce the Ploughmans Crede », vers 1394.

« Dans sa jeunesse il était vif de nature. Quand celle-ci commença à se comprendre elle-même et qu'il se rendit compte qu'il était à lui-même une lourde charge, ce lui fut amer et pénible. Il chercha mainte ruse et de grandes pénitences pour soumettre le corps à l'esprit. Il porta quelque temps une chemise de crin et une chaîne de fer jusqu'à ce que le sang coule dans la fontaine, si bien qu'il dut les enlever. Il se fit faire en secret un sous-vêtement et dans ce sous-vêtement des lanières garnies de cent cinquante pointes de laiton finement limées dont la pointe était toujours tournée vers la chair. Ce vêtement était très ajusté et solidement serré par-devant pour qu'il s'adapte d'autant mieux au corps et que les clous pointus pénètrent dans la chair ; il montait jusqu'à la hauteur du nombril. Le Serviteur le portait la nuit pour dormir. En été, quand il faisait très chaud, que la marche l'avait fatigué et qu'il se sentait affaibli, ou après la saignée quand il était ainsi étendu prisonnier de ses souffrances, tourmenté par la vermine, parfois il pleurait, grinçait des dents en silence, se tournait et retournait misérablement comme un ver que l'on pique avec des aiguilles pointues. Il lui semblait souvent être couché dans une fourmilière tant la vermine rampait sur lui. Quand il aurait voulu dormir ou qu'il était. déjà endormi, elle le suçait et le mordait à l'envi. Il s'adressait parfois à Dieu, le cœur lourd. « O tendre Dieu, quelle mort c'est là ! Pour celui que tuent des brigands ou de gros animaux, c'est vite fait et moi je suis là sous cette affreuse vermine, je meurs et ne peux pourtant pas mourir. » Mais si longues que fussent les nuits en hiver, si chaudes en été, il ne s'en débarrassait pas et pour qu'il ait d'autant moins d'adoucissement dans ce martyre, il imagina encore une chose : il noua autour de son cou une partie de sa ceinture et y adapta habilement deux anneaux de cuir ; il y glissa ses mains et y enferma ses bras au moyen de deux cadenas ; il en posa les clefs sur une planche devant son lit jusqu'à ce qu'il se lève pour Matines et se délivre. Dans ces liens, ses bras étaient tendus vers le haut des deux côtés de la gorge et les liens étaient si serrés que, si le feu avait pris dans sa cellule, il n'aurait pas pu se tirer d'affaire. Il en fut ainsi jusqu'à ce que ses mains et ses bras soient pris de tremblements à force d'être tendus ; alors il inventa autre chose.

« Il se fit faire une paire de gants de cuir comme les travailleurs ont coutume d'en porter contre les épines ; il les fit garnir de place en place de fines pointes de laiton par un ferblantier et il les mettait pour la nuit afin que, s'il avait voulu rejeter le sous-vêtement de crin ou trouver de quelque autre manière un soulagement contre les morsures de la vermine, les pointes entrent dans sa chair, et c'est aussi ce qui se produisait. Quand il voulait s'aider de ses mains et qu'il portait en dormant les pointes aiguës sur sa poitrine et se grattait, il se griffait aussi affreusement que si un ours l'avait lacéré. La chair de ses bras et autour de son cœur suppura et après qu'il fut guéri au bout de nombreuses semaines, il eut encore plus mal ensuite et se fit de nouvelles blessures. Ce martyre dura bien seize ans, mais comme ses veines et son corps étaient affaiblis et ruinés, un messager du ciel lui apparut le jour de la Pentecôte et lui annonça que Dieu ne voulait pas qu'il continuât. Alors il cessa et jeta le tout dans l'eau courante. »

Henri Suso (1295-1366).

Dialogue amoureux de l'âme avec son époux le Christ détaché de la croix.

« *Quid, dilecti mi,* quoi donc ? mon bien-aimé, quoi donc ? accomplissement de tous mes désirs, que dois-je te dire, Seigneur bien-aimé, alors que l'amour me rend muette ? Mon cœur est plein de paroles d'amour, si ma langue pouvait donc les exprimer ! Insondable est mon sentiment, infini mon amour, c'est ce qui rend ma pensée inexprimable parce que tu es mon roi, tu es mon Seigneur, tu es mon amour, tu es ma joie, tu es mon heure d'allégresse, tu es mon jour joyeux, tu es tout ce qui peut se rendre aimable à mon cœur ; c'est pourquoi, que dire de plus, mon bien-aimé ? Tu es à moi, je suis donc à toi, et il en sera à tout jamais ainsi ! Combien de temps ma langue sera-t-elle silencieuse, alors que tout mon être intime s'exclame ainsi ? Ou bien dois-je me taire parce que je ne puis avoir le bien-aimé corporellement près de moi ? Non, absolument pas ! Celui qu'aime mon âme est caché, les yeux de mon cœur le voient, le regardent, le contemplent. Je vois mon bien-aimé reposant sous un pommier sauvage, épuisé par ses blessures d'amour et il ne peut se soutenir ; il a incliné sa tête sur son aimé, il est soutenu par les fleurs de la Déité, entouré par la cour de ses disciples dans leur dignité. Or je commence par demander la permission de parler car je suis cendre et poussière en raison de ma propre réprobation et je veux parler à mon Seigneur, à mon Époux, éternité et sagesse lumineuse et tendre, nul ne peut m'en empêcher. Je veux m'entretenir avec mon bien-aimé, tel est le désir de mon cœur avant qu'il soit enlevé à mes yeux et caché dans le tombeau avec des aromates.

« Eh bien ! dis-moi, mon bien-aimé, pourquoi tu as laissé mon âme te chercher si longtemps, si ardemment sans pouvoir te trouver ? Je t'ai cherché à travers la nuit dans la volupté de ce monde et je n'ai trouvé que grande amertume de cœur, tribulation et tristesse constante dans les images humaines ; à l'école de la frivolité, j'ai appris à douter de toutes choses et je ne t'ai trouvé nulle part, ô vérité pure ! c'est pourquoi j'ai suivi ma volonté propre, j'ai traversé les monts et les champs, insensé comme un cheval débridé qui, pour sa perte, se hâte impétueusement vers les combats et ma pauvre âme égarée dans la ténèbre profonde était étroitement enserrée par les douleurs de la mort et de l'enfer, lamentablement abreuvée par les flots déchaînés de l'irréflexion, entourée par les rets de la mort éternelle. Tu m'as montré en toutes choses maintes néfastes vicissitudes, mais quand ce fut ton vouloir et ton bon plaisir, tu envoyas en moi ta lumière et ta vérité qui m'étaient auparavant tout à fait inconnues, tu te tournas vers moi et me confortas, tu me retiras des abîmes de la terre, puis tu me relevas par ta miséricorde, alors que j'étais tombé, tu me ramenas quand je m'étais égaré, tu me rappelas doucement lorsque je t'avais fui, tu me montras véritablement en toutes choses que tu es vraiment le Dieu de miséricorde et qu'il est juste que je me retire dorénavant de tout ce monde et me donne à toi du fond de mon cœur.

« C'est pourquoi adieu, adieu au monde trompeur, aujourd'hui et à jamais ! J'ai donné congé au monde trompeur et à son amour ; que disparaisse la société, l'amitié que j'ai jusqu'ici manifestée au monde sans en recevoir aucune reconnaissance. Parce que je veux me donner absolument à celui qui m'a gardé alors qu'il a laissé s'égarer longtemps tant d'étourdis morts dans la fleur de la jeunesse, et qu'il m'a miséricordieusement attiré vers lui. Ainsi, mon âme, loue, bénis au plus profond de toi celui qui a nourri et rénové ta jeunesse comme celle d'un aigle ; loue-le, bénis-le, exalte-le toujours davantage, éternellement, et n'oublie pas la multitude des bienfaits dont il t'a comblée !

« O vous, étoiles errantes, je veux dire pensées inconstantes, je vous conjure par les roses fleuries et les lis des vallées, c'est-à-dire tous les saints ornés de vertus, de ne pas m'importuner ! Éloignez-vous de moi un instant, laissez-moi près de lui une seule petite heure, laissez-moi parler au bien-aimé, laissez-moi le bienfait de sa présence ! O tous mes sens intérieurs, il vous faut le contempler, donnez-lui votre cœur et vos regards car celui-ci est mon bien-aimé, il est blanc et vermeil, élu par tous ceux qui résident en ce monde, ô très doux Jésus-Christ, qu'ils sont bienheureux, les yeux qui t'ont vu vivant en ton corps, entendirent tes très suaves paroles ! Car tu es le Tout-Aimable que ce monde a produit, unique et sans pareil ! Ta tête, de courbe gracieuse, est pareille à la forme du ciel dans sa sublime beauté, elle est bien digne d'être le chef du monde et les parties de ta tête sont toutes sans égales. Les boucles blondes de ta tête charmante sont fournies comme les buissons fleuris et les branches vertes qui ornent la ravissante plaine, mais à présent, elle est partout lamentablement déchirée par les épines acérées, pleines de la rosée sanglante et des gouttes de la nuit. Hélas ! ses yeux si clairs qui, comme ceux de l'aigle, pouvaient sans sourciller fixer l'éclat du soleil et brillaient comme de lumineuses escarboucles, sont maintenant, hélas ! éteints et révulsés comme ceux d'un autre mort, ses sourcils pareils à de noirs nuages qui planent au-dessus de l'éclat du soleil et le couvrent d'ombre, son nez bien formé comme le pilier d'un beau mur, ses joues vermeilles, ardentes comme les roses, sont maintenant défigurés par les souillures, pâlis et émaciés. O mon bien-aimé ! comme tu es devenu dissemblable à toi-même ! Car tes lèvres délicates, pareilles à des roses rouges non encore épanouies, ta bouche, école de tout savoir et de toute vertu par laquelle tu dispensais toute connaissance et toute sagesse, abreuvant de douceur, du lait et du miel des paroles suavement délicieuses qui en fluaient, enivrant les cœurs fervents — ta bouche est maintenant si desséchée que la langue pudique est collée au palais, ton gracieux menton pareil à un charmant vallon entre des collines, est honteusement souillé et ta très douce gorge d'où retentissaient les discours les plus suaves, si bien que ceux qui les entendaient étaient frappés par la flèche du doux amour, cette gorge a goûté l'amertume du vinaigre et du fiel. Ah ! malheur à moi ! comme ton délicieux visage est défiguré, naguère ravissant comme un paradis de délices dont se délectaient tous les yeux ! Je vois bien que tu n'as ni beauté ni charme. Tes mains gracieuses, arrondies, lisses et belles, comme faites au tour, ornées de pierres précieuses, tes jambes semblables à des colonnes de marbre fixées sur des socles d'or, sont défaillantes tant elles ont souffert d'être étirées, ton corps bien formé comme une colline élevée entourée de lis, est maintenant couvert de sang et amenuisé, tant il a été distendu, que l'on pourrait compter tous ses os.

« Que dirai-je de plus, mon bien-aimé ? Tous tes membres chacun en particulier et pris ensemble, pareils à une somme de grâces qui enivraient les esprits de tous les hommes et attiraient leur désir, ont maintenant pris une forme mortelle qui blesse intimement d'une douleur amère tous les sens de ceux qui t'aiment. Oh ! larmes brûlantes, coulez sans cesse du fond de mon cœur et baignez toutes les plaies de mon bien-aimé. Quel cœur, qu'il soit de fer ou de pierre, ne serait attendri par tant de cruelles blessures qui viennent de t'être faites ! Ah ! mon très doux maître, qui me donnera de pouvoir mourir pour toi ? Je désire que toute ma force meure avec toi, que tous mes os soient brisés en même temps que toi, que mon âme soit suspendue avec toi. Oh ! bienheureux celui qui meurt et, comme un fort lutteur, entre en lice avec toi dans le combat des vertus, que ne fait pas reculer la douleur ni chanceler la joie parce qu'il combat fermement avec toi et meurt volontairement tous les jours. N'est-il pas suavement blessé, celui qui cherche avec constance tes blessures et qui, par cette contemplation, est libéré de toutes adversités ? »

Henri Suso (1295-1366).

Ein unordnung bringet die andren.

RÉFÉRENCES BIBLIOGRAPHIQUES DES TEXTES

L'Europe au Moyen Âge, tome II, fin IXe siècle-fin XIIIe siècle, par Ch.-M. de La Roncière, Ph. Contamine, R. Delort, M. Rouche, série « Histoire médiévale » dirigée par Georges Duby, collection U, Armand Colin, Paris, 1969 (documents nos 2, 10, 17, 40, 55, 56, 62, 86, 98, 106, 107, 136, 141, 143, 160, 167).

« Un ermite : sa vie dans la forêt au début du XIIe siècle » 30
Vie de saint Bernard de Tiron, par Geofroy le Gros, éd. Migne, P. L., t. 172, col. 1380-1382.

« Le commerce en Lombardie au Xe siècle » 30
Honoranciae Civitatis Papie, M.G.H. *Scriptores,* t. XXX, 2, Hanovre, 1934, p. 1451-1453.

« La cérémonie de l'adoubement au XIIe siècle » . . 31
La Chanson d'Aspremont, Paris, éd. L. Brandin, 2e éd. revue 1924, vers 7480-7493, p. 45.

« Révolte des serfs de Viry contre les chanoines de Notre-Dame de Paris, 1067 » *Cartulaire de l'église Notre-Dame,* t. III, Paris, éd. B. Guérard, 1850, p. 354-355 32

« Vie de Norbert, archevêque de Magdebourg ; vers 1160 » 33
Vie de saint Norbert, archevêque de Magdebourg, M.G.H. *Scriptores,* t. XII, Hanovre, 1856, p. 674-676.

Scriptores, t. XXXII, Hanovre, 1905-1913, p. 348.

Henri Suso, *Œuvres complètes*, présentation, traduction et notes de Jeanne Ancelet-Hustache, Éditions du Seuil, Paris, 1977 (p. 181, 182, 183, 281, 284, 285, 286, 577 à 581) .... 66, 151, 269 à 275

Césaire de Heisterbach, *Dialogus miraculorum*, Éd. Strange, Cologne, 1851 (II/33, XII/48, V/4, XII/56, XI/18, XII/47) 67, 69

J.-C. Schmitt, *Le saint lévrier, Guinefort, guérisseur d'enfants depuis le XIIIe siècle*, Flammarion, Paris, 1979 (p. 15-17).

« De l'adoration du chien Guinefort » 70

Villehardouin, *La Conquête de Constantinople*, éditée et traduite par Edmond Faral, Société d'édition « Les belles lettres », Paris, 1973 (p. 21, 23, 47, 49, 51, 57, 59, 61, 79, 81, 115, 117) 91

La Saga de Snorri le Godi, traduction, introduction et notes de Régis Boyer, Bibliothèque de philologie germanique XXIV, Aubier Montaigne, Paris, 1973 (p. 80-82, 142-144).

« Du châtiment de la sorcière Katla et de son fils Odd » 96

« De la bataille dans le Vigrafjord » 147

La Croisade albigeoise, présenté par Monique Zerner-Chardavoine, collection « Archives », Gallimard/Julliard, 1979 (p. 21, 27, 38, 77, 106-107, 116, 125-126, 127-128, 131, 139, 158, 160-161, 173-174, 178).

Anselme d'Alexandrie, *Tratacus de Hereticis*, édité par Dondaine, *Archivum Fratrum Praedicatorum*, 1949-1950 99

Pierre de Saint Chrysogone, Migne, *Patrologie latine*, 204 (235-240) 99

Hystoria albigensis de Pierre des Vaux de Cernay, dernière édition par P. Guébin et E. Lyon

(t. I, Paris, 1926; t. II, 1930; t. III, 1939). Traduction par P. Guébin et H. Maisonneuve (Paris, 1951) 100, 122, 126

La Chanson de la croisade albigeoise, éditée et traduite du provençal par Eugène Martin-Chabot, collection « Les classiques de l'Histoire de France au Moyen Âge » (t. I, II et III, Paris, 1960-1972) 101, 127

Statuts de Pamiers 124

Chronique de Guillaume de Puylaurens, édition de Beyssier, 3e mélange d'histoire du Moyen Âge, Bibliothèque de la Faculté des Lettres, Paris, 1904. Nouvelle édition et traduction par J. Duvernoy (Paris, 1976)......................... 125

L'Europe au Moyen Âge, tome III, fin XIIIe siècle-fin XVe siècle, par Ch.-M. de La Roncière, Ph. Contamine, R. Delort, série « Histoire médiévale » dirigée par Georges Duby, collection U, Armand Colin, Paris, 1971 (documents no 21, 31, 50, 103, 108, 119).

« La fête de la chevalerie d'Édouard, prince de Galles, 1306 » 121
Flores Historiarum, éd. H. R. Luard, Londres, 1890, t. III, p. 131-132.

« Ordonnance de Jean le Bon promulguée en février 1351 » 199
Ordonnances des rois de France, t. II, Paris, 1729.

« La peste noire en Sicile, 1347 » 200
Michel de Piazza (mort en 1377), *Historia Secula ab anno 1337 ad annum 1361,* chronique publiée par A. Corradi, *Annali delle epidemie occorse in Italia,* Bologne, 1863, p. 485-490.

« Civé de lièvre ».................................. 203
Le ménagier de Paris, t. I, Paris, éd. J. Pichon, p. 168.

« Persécution des Juifs à Paris, 1382 »........... 227
L. Mirot, *Les Insurrections urbaines au début du règne de Charles VI, 1380-1383. Leurs causes, leurs conséquences,* Paris, 1905, p. 117-

119, d'après Archives nationales, JJ 135, n° 226, f° 123.

« Un paysan anglais et sa famille, vers 1394 » . . . 268
Pierce the Ploughmans Crede, éd. W. W. Skeate, Londres, 1867, p. 16-17, v. 420-442 (Early English Text Society, Original Series, 30).

Bernard Gui, *Manuel de l'inquisiteur,* édité et traduit par G. Mollat, Société d'édition « Les belles lettres », Paris, 1964 (p. LVI, LVII, 21, 23, 25, 103, 105, 107, 135, 137) 173, 174, 176, 178

Nicolau Eymerich, Francisco Peña, *Le Manuel des inquisiteurs,* introduction, traduction et notes de Louis Sala-Molins, Mouton, Paris, 1973 (p. 207, 208, 158, 159, 160, 161). 219, 220, 221, 222

« Les chroniques de sire Jean Froissart », *Historiens et chroniqueurs du Moyen Âge,* Bibliothèque de la Pléiade, Gallimard, Paris, 1952 (p. 388 à 390, 597 à 600, 644 à 651) 225, 230, 233

Journal d'un bourgeois de Paris à la fin de la guerre de Cent ans, texte présenté et adapté par Jean Thiellay, collection 10/18, Union générale d'éditions, Paris, 1963 (p. 18, 28-29, 45-46, 52-53, 68-69, 76-78, 97-99).

« Châtiment de Colinet de Puiseux » 258

« Un curieux mal : ... la coqueluche » 258

« Arrestations et massacres des Armagnacs » . . . 260

« Mort du bourreau Capeluche » 262

« La famine » 262

« Le drame de l'arbre de Vauru » 264

« Attraction : l'arrivée des Romanichels » 266

Les cartes sont de Marc Ecochard.

TABLE DES MATIÈRES

DÉJÀ PARUS

ABELLIO **Assomption de l'Europe.**
ABOUT **Les raisons de la folie.**
ALAIN **Idées.**
ALQUIÉ **Philosophie du surréalisme.**
ARAGON **Je n'ai jamais appris à écrire ou les *incipit*.**
ARNAUD, NICOLE **La logique ou l'art de penser.**
AXLINE Dr **Dibs.**
BADINTER **L'amour en plus.**
Les Remontrances de Malesherbes.
BARRACLOUGH **Tendances actuelles de l'histoire.**
BARTHES **L'empire des signes.**
BASTIDE **Sociologie des maladies mentales.**
BECCARIA **Des délits et des peines.**
BERNARD **Introduction à l'étude de la médecine expérimentale.**
BIARDEAU **L'hindouisme. Anthropologie d'une civilisation.**
BINET **Les idées modernes sur les enfants.**
BOIS **Paysans de l'Ouest.**
BONNEFOY **L'arrière-pays.**
BRAUDEL **Écrits sur l'histoire.**
BRILLAT-SAVARIN **Physiologie du goût.**
BROUÉ **La révolution espagnole (1931-1939).**
BURGUIÈRE **Bretons de Plozévet.**
BUTOR **Les mots dans la peinture.**
CAILLOIS **L'écriture des pierres.**
CARRÈRE-D'ENCAUSSE **Lénine, la révolution et le pouvoir.**
Staline, l'ordre par la terreur.
CASTEL **Le psychanalysme.**
CHAR **La nuit talismanique.**
CHASTEL **Éditoriaux de la Revue de l'art.**
CHAUNU **La civilisation de l'Europe des Lumières.**
CHEVÈNEMENT **Le vieux, la crise, le neuf.**
CHOMSKY **Réflexions sur le langage.**
CLAVEL **Qui est aliéné ?**
COHEN **Structure du langage poétique.**
CONDOMINAS **Nous avons mangé la forêt.**
CORBIN **Les filles de noce.**
DAVY **Initiation à la symbolique romane.**
DERRIDA **Éperons. Les styles de Nietzsche. La vérité en peinture.**
DETIENNE, VERNANT **Les ruses de l'intelligence. La métis des Grecs.**
DEVEREUX **Ethnopsychanalyse complémentariste.**
DODDS **Les Grecs et l'irrationnel.**
DUBY **L'économie rurale et la vie des campagnes dans l'Occident médiéval** (2 tomes).
Saint-Bernard. L'art cistercien.
EINSTEIN, INFELD **L'évolution des idées en physique.**
ÉLIADE **Forgerons et alchimistes.**
ELIAS **La société de cour.**
ERIKSON **Adolescente et crise.**
ESCARPIT **Le littéraire et le social.**
*****Les états généraux de la philosophie.**
FABRA **L'anticapitalisme.**
FEBVRE **Philippe II et la Franche-Comté.**
FERRO **La révolution russe de 1917.**
FINLEY **Les premiers temps de la Grèce.**
FONTANIER **Les figures du discours.**
FUSTEL DE COULANGES **La cité antique.**
GARDEN **Lyon et les Lyonnais au XVIIIe siècle.**
GENTIS **Leçons du corps.**
GERNET **Anthropologie de la Grèce antique. Droit et institutions en Grèce antique.**
GINZBURG **Les batailles nocturnes.**
GONCOURT **La femme au XVIIIe siècle.**
GOUBERT **100 000 provinciaux au XVIIe siècle.**
GREPH (Groupe de recherches sur l'enseignement philosophique) **Qui a peur de la philosophie ?**
GRIMAL **La civilisation romaine.**
GUILLAUME **La psychologie de la forme.**
GUSDORF **Mythe et métaphysique.**
GURVITCH **Dialectique et sociologie.**
HEGEL **Esthétique.** Tome I. **Introduc-**

tion à l'esthétique. Tome II. **L'art symbolique. L'art classique. L'art romantique.** Tome III. **L'architecture. La sculpture. La peinture. La musique.** Tome IV. **La poésie.**
JAKOBSON **Langage enfantin et aphasie.**
JANKÉLÉVITCH **La mort.**
Le pur et l'impur.
L'ironie.
L'irréversible et la nostalgie.
Le sérieux de l'intention.
Janov **L'amour et l'enfant.**
Le cri primal.
KRIEGEL **Aux origines du communisme français.**
KROPOTKINE **Paroles d'un révolté.**
KUHN **La structure des révolutions scientifiques.**
LABORIT **L'homme et la ville.**
LAPLANCHE **Vie et mort en psychanalyse.**
LAPOUGE **Utopie et civilisations.**
LEAKAY **Les origines de l'homme.**
LEPRINCE-RINGUET **Science et bonheur des hommes.**
LE ROY LADURIE **Les paysans de Languedoc.**
Histoire du climat depuis l'an mil (2 tomes).
LOMBARD **L'islam dans sa première grandeur.**
LORENZ **L'agression.**
L'homme dans le fleuve du vivant.
MACHIAVEL **Discours sur la première décade de Tite-Live.**
MANDEL **La crise 1974-1982.**
MARIE **Le trotkysme.**
MEDVEDEV **Andropov au pouvoir.**
MICHELET **Le peuple.**
La femme.
MICHELS **Les partis politiques.**
MOSCOVICI **Essai sur l'histoire humaine de la nature.**
MOULÉMAN MARLOPRÉ **Que reste-t-il du désert ?**
NOËL **Dictionnaire de la Commune** (2 tomes).
ORIEUX **Voltaire** (2 tomes).
PAPAIOANNOU **Marx et les marxistes.**
PAZ **Le singe grammairien.**
POINCARÉ **La science et l'hypothèse.**
PÉRONCEL-HUGOZ **Le radeau de Mahomet.**
PORCHNEV **Les soulèvements populaires en France au XVIIe siècle.**
POULET **Les métamorphoses du cercle.**
RENOU **La civilisation de l'Inde ancienne d'après les textes sanskrits.**
RICARDO **Des principes de l'économie politique et de l'impôt.**
RICHET **La France moderne. L'esprit des institutions.**
RUFFIE **De la biologie à la culture** (2 tomes).
SCHUMPETER **Impérialisme et classes sociales.**
SCHWALLER DE LUBICZ R.A. **Le miracle égyptien. Le roi de la théocratie pharaonique.**
SCHWALLER DE LUBICZ Isha **Her-Back, disciple.**
Her-Back « Pois Chiche ».
SEGALEN **Mari et femme dans la société paysanne.**
SIMONIS **Claude Lévi-Strauss ou la « Passion de l'inceste ».** Introduction au structuralisme.
STAROBINSKI **1789. Les emblèmes de la raison.**
Portrait de l'artiste en saltimbanque.
STOETZEL **La psychologie sociale.**
STOLERU **Vaincre la pauvreté dans les pays riches.**
SUN TZU **L'art de la guerre.**
TAPIÉ **La France de Louis XIII et de Richelieu.**
TRIBUNAL PERMANENT DES PEUPLES **Le crime de silence. Le génocide des Arméniens.**
THIS **Naître... et sourire.**
ULLMO **La pensée scientifique moderne.**
VILAR **Or et monnaie dans l'histoire 1450-1920.**
WALLON **De l'acte à la pensée.**

Achevé d'imprimer en août 1985
sur les presses de l'Imprimerie Bussière
à Saint Amand (Cher)

Achevé d'imprimer en août 1985
sur les presses de l'Imprimerie Bussière
à Saint-Amand (Cher)

– N° d'édit. 10672. — N° d'imp. 2032. —
Dépôt légal : septembre 1984.

Imprimé en France